D1177619

Pierre Franckh

Erfolgreich wünschen

Pierre Franckh

Erfolgreich wünschen

Wichtiger Hinweis

Die im Buch veröffentlichten Ratschläge wurden von Verfasser und Verlag sorgfältig erarbeitet und geprüft. Eine Garantie kann dennoch nicht übernommen werden. Ebenso ist die Haftung des Verfassers bzw. des Verlages und seiner Beauftragten für Personen-, Sach- und Vermögensschäden ausgeschlossen.

Lektorat: Delia Rösel
Umschlag: HildenDesign, München

Gesamtherstellung: Karin Schnellbach
Druck: CPI Moravia Books, Pohorelice
ISBN 978-3-936862-66-9

Inhalt

Wünsche realisieren sich.
Jeden Tag, jede Minute, jede Sekunde.
Wir wünschen uns ständig etwas.
Bewusst oder unbewusst.
Ob wir daran glauben oder nicht.
Wir wünschen sogar,
wenn wir es gar nicht wollen.
Was wünschen Sie sich?

Was soll sich in Ihrem Leben realisieren?

Vorwort

Meine Geschichte

Mit sechs Jahren erfüllte sich mein erster Wunsch. Ich hatte einen Zettel an meinen Schutzengel geschrieben, und weil meine Mutter ihn nicht finden sollte, hatte ich ihn gut versteckt. Der Wunsch erfüllte sich trotzdem. Ich bekam genau das Fahrrad, das ich wollte. Sogar exakt in der gewünschten Farbe und mit der Klingel mit der Maus.

Als ich neun Jahre alt war, glaubte ich nicht mehr, ich wusste bereits, dass sich Wünsche erfüllen. Zumindest meine. Ich hatte inzwischen viele Wünsche auf Zettel geschrieben und erfüllt bekommen. Wunder waren für mich keine Frage des Glaubens, sondern eine Sache der Realität geworden.

Trotzdem wollte der kleine Junge das Ganze einem Test unterziehen. Sicher ist sicher. Aus diesem Grund musste ich etwas »Unmögliches« ausprobieren, etwas, was eigentlich gar nicht funktionieren kann. Und so bestellte ich von

den »Wesen dort oben«, dass ich in einem Kinofilm mitspielen wollte. Eine richtig gute Rolle sollte es sein und mein Name musste auf den Titeln stehen. Auf den Wunschzettel schrieb ich damals, »...dass ich für jeden gut zu sehen sein sollte«. Und tatsächlich, noch im gleichen Jahr übernahm ich in dem Spielfilm »Lausbubengeschichten« den Gegenpart des Hauptdarstellers. Meine Eltern dachten an ein Wunder – ich an meine Bestellung, die niemand außer mir ernst nahm.
Ich nahm sie sogar sehr ernst, denn leider war die Bestellung exakter eingetroffen als gedacht. Ich hatte nämlich einen kleinen verhängnisvollen Fehler gemacht. Ich hatte auf den Zettel geschrieben, dass jeder mich in dem Film sehen sollte. Von hören war also nicht die Rede. Während der Dreharbeiten entschied der Regisseur, dass der Junge, den ich spielte, ein Preußenjunge sein sollte, mit Berliner Dialekt. Zu meinem Entsetzen wurde ich synchronisiert, das heißt, ich bekam in dem Film eine andere Stimme. Ich hatte also meine erste große Rolle im Kino, der Wunsch war in Erfüllung gegangen. Jeder konnte mich sehen, aber keiner konnte mich hören.
Einen besseren und leider auch schmerzlicheren

Beweis für unexaktes Wünschen konnte ich wohl kaum bekommen. (Deswegen habe ich ein ganzes Kapitel dem richtig Formulieren gewidmet.)
Für einige Zeit beschimpfte ich die »Wesen da oben«. Bis mir klar wurde, dass sie gar nichts dafür konnten. Sie sprachen einfach nur eine andere Sprache als ich. Sie wussten nicht, was aus meiner Sicht gut oder schlecht war. Sie hatten keine Erfahrung, wie es hier auf der Welt zuging, sie führten einfach nur meine Anweisungen aus. Von da an gab es keinen Zweifel mehr für mich:

Wünsche gehen in Erfüllung.
Und zwar genau wie bestellt.

Als Kind wusste ich das. Als Kind hatte ich noch Kontakt zu meinen Wünschen und erwartete ganz einfach, dass sie so ausgeführt wurden, wie ich es mir vorstellte. Die kleine Zettelfabrik funktionierte damals jedenfalls.
Aber der Junge wurde größer und fühlte sich irgendwann erwachsen. Und so wurde aus dem kleinen Buben, der damals als Kind mehr Wissen besaß als später der Erwachsene, ein Skeptiker und »Realist«.

Auf dem Weg in die Pubertät hatte er irgendwann all den Erwachsenen mehr Glauben geschenkt als sich selbst. Sein Talent des »Wünschens« war immer mehr in Vergessenheit geraten. In seiner erwachsenen Welt wollte er selber etwas leisten, wollte stolz auf sich sein, er glaubte an die eigene Kraft und empfand fremde Hilfe, besonders Hilfe »von oben«, als lächerlich und peinlich. Der kleine Junge hatte aufgehört die Wunder in seinem Leben zuzulassen. Sein Leben wurde schwieriger, ernster und er traf häufig auf unüberwindliche Hindernisse. Ich begann zu kämpfen und mich immer öfter mit anderen zu vergleichen, wobei ich feststellte, dass ich anscheinend stets die schlechteren Karten besaß.

Dass die Welt ungerecht ist, war für mich inzwischen zur Gewissheit geworden: Warum sonst gelingt manchen alles und anderen nichts? Warum sonst haben manche immer so viel »Glück«, während bei anderen alles schief läuft? Wieso geht es schließlich manchen so unglaublich gut und anderen überhaupt nicht?

Die Antwort auf diese Fragen und damit die Wende für mein Leben fand ich, als ich viele

Jahre später über ein kleines weißes Büchlein mit dem Titel »Wunder« stolperte. Darin berichtet Stuart Wilde über genau die gleichen Erfahrungen, die ich als Kind gemacht hatte. Diese eigenartige Form des Wünschens nennt er bestellen – ein wundervoll treffender Ausdruck – und er behauptet, dass dies jederzeit, für jeden funktionieren würde.
Ich war tief berührt. Ich begann mich wieder an meine Zeit als Kind zu erinnern. Dort waren genau diese Wunder möglich gewesen, von denen Stuart Wilde sprach. Sie standen mir damals einfach zur Verfügung.
Aber warum sollte dies nur einer Kinderseele möglich sein? Warum nicht auch dem Erwachsenen?
Vielleicht war das Leben gar nicht so ungerecht? Vielleicht lag der einzige Unterschied zwischen den Erfolgreichen und den Erfolglosen nur darin, dass die Gewinner niemals an sich und ihren Wünschen zweifelten? Sie wussten ganz einfach, dass das, was sie sich wünschten, ihnen auch zustand. Es war für sie normal, dass ihre Vorstellungen in Erfüllung gingen. Ihre Gedanken realisierten sich, und zwar ständig. Was aber »dachten« sie so anders als andere?

Erfolgreiche Menschen zweifeln nicht und sind stets positiv auf ihre Ziele fokussiert.

Letztendlich gibt es immer nur einen Unterschied. Die einen wünschen bewusst und gezielt, die anderen unbewusst und unkoordiniert, ohne zu erkennen, dass sie genauso die Urheber ihrer Umstände sind.

Durch dieses Buch von Stuart Wilde hat sich mein Leben vollkommen verändert. Seitdem habe ich in meinem Leben wieder unzählige solcher *erfolgreichen Wünsche* aufgegeben. Und es funktioniert! Man muss es nur tun – das Leben kann so einfach sein – und ein paar kleine Tricks und Kniffe lernen. Denn auch beim *erfolgreich wünschen* kann man so einiges falsch machen und kann so einiges schief gehen.

Auch wünschen will gelernt sein

Wünsche gehen in Erfüllung. Jeden Tag, jede Stunde, jede Minute. Auch unsere. Und zwar alle. Das bedeutet aber, auch unsere Zweifel erfüllen sich. Und unsere Gedanken über unsere

eigene Minderwertigkeit. Denn dies sind genauso Wünsche, wenn auch unbeabsichtigte. Trotzdem werden sie ausgeführt.
Ich begann mich also ziemlich genau zu beobachten. Mich interessierten natürlich vor allem meine unbewussten Wünsche und wie ich die Kontrolle über sie erhalten konnte.

Unsere Erwartungen werden oft nur enttäuscht, weil wir erwarten, dass wir enttäuscht werden.

Das Universum kann nämlich zwischen gut und schlecht nicht unterscheiden. Es liefert einfach. Dem Universum ist es egal, ob sich die Ausführung des Wunsches auf unser Leben positiv oder negativ auswirkt. Das Universum kennt kein gerecht oder ungerecht, kein gut oder böse, positiv oder negativ. Das Universum liefert einfach nur nach unseren Vorstellungen.

Das Universum? Was soll das denn sein? Nun, die Vorstellung, das Universum sei so etwas wie ein gigantisch großes Versandhaus ist zunächst sehr hilfreich, wenn es darum geht, unsere Wünsche wahr werden zu lassen. Genau genommen passiert auch etwas ganz Ähnliches mit unseren

Wünschen. Sie werden bearbeitet und ausgeliefert.
Ich gehe später noch auf das tatsächliche physikalische Zusammenspiel zwischen dem Aussenden unserer Wünsche und dem Eintreffen in unserem Leben ein, also darauf, wie das mit der Energie und ihrer Manifestation auf der materiellen Ebene zusammenhängt. Im Moment aber hilft uns der Gedanke an ein universelles Versandhaus ganz gut dabei, wenn es darum geht, die richtige Art und Weise des Wünschens zu erlernen. Vor allem hilft er uns, spielerisch damit umzugehen. Dies ist deswegen von Vorteil, weil sich alles Spielerische und Leichte wesentlich schneller und rascher erfüllt.

Ebenso wichtig für das Leichte und Unbeschwerte ist es zu wissen, dass uns alles immer zur Verfügung steht und dass, *wenn wir etwas bekommen, es nicht jemand anderem fehlt.* (Das gilt natürlich nicht, wenn ich mir den Mann meiner Freundin wünsche.)

Im Laufe der letzten 30 Jahre habe ich jedenfalls sehr viel darüber gelernt, wie das mit dem *erfolgreich wünschen* so funktioniert.

Aus diesen eigenen Erfahrungen und Fehlern und denen vieler anderer, habe ich sieben Regeln herauskristallisiert, die uns dabei helfen, das Leben zu führen, das wir uns wünschen. Wenn wir es uns auf die *richtige* Weise wünschen, erfüllt sich alles in unserem Leben. Auch das Unmögliche. Auch das Unerreichbare. Das Faszinierende ist nämlich, dass es beim richtigen wünschen keine Grenzen gibt. Ob Geld, Haus, Auto, Partner, Job oder Liebe, alles ist möglich.

Es gibt keine Grenzen.
Die Begrenzungen existieren nur im Kopf.

Dort erschaffen wir unsere tägliche Welt. Und weil wir Erwachsenen das nicht wissen oder nicht wissen wollen, sind wir mit unserer selbstgeschaffenen Welt meistens sehr unzufrieden.

Doch wie beseitigt man nun diese Begrenzungen, wie wünscht man nun richtig? Wie schafft man es, seine Wünsche ganz klar und eindeutig zu äußern, ohne ständig der Lieferung seines Wunsches dazwischenzufunken oder sich gar Sachen zu wünschen, die man eigentlich gar nicht will? Und wie schafft man es, die Lieferung nicht zu

verpassen? Und wie schafft man es, all das Furchtbare aus seinem Leben auszuklammern?
Das alles sind Fragen, die ich immer wieder in meinen Vorträgen gestellt bekomme. Letztendlich aber geht es immer nur um eine Frage: Wie schaffe ich es, all die Wunder in meinem Leben zuzulassen?

Wünsche realisieren sich.
Was soll sich in meinem Leben realisieren?

Je öfter ich inzwischen in meinen Vortragsabenden über *erfolgreich wünschen* berichtet habe, desto größer wurde das Interesse, mehr darüber zu erfahren. Selbst viele von denjenigen, die bereits von den verschiedensten Arten des Wünschens gehört und es eine Zeitlang sogar praktiziert hatten, haben irgendwann das Handtuch geworfen, weil es für sie nicht richtig funktionierte.
Ich war erstaunt. Das, was für mich und mein Leben inzwischen vollkommen normal war, war für andere überhaupt nicht selbstverständlich. Und je mehr ich erzählte, desto mehr Fragen entstanden. Auch bei mir. Auch ich fing an, meine Zuhörer zu fragen, wie sie denn wünschen würden. Dabei wurde mir immer klarer, warum

es bei so vielen nicht funktionierte und wo die Fehler lagen.
Und so wurde ich immer öfter gebeten, endlich etwas über die Arbeitsweise von *erfolgreich wünschen* zu schreiben.
Vielen Dank also an alle, die mich immer wieder dazu gedrängt haben. Ohne Euch gäbe es dieses Buch nicht.

Ich erinnere mich noch an die Dame, die mich so nett anlächelte und zu mir sagte: »Ich weiß, Sie schreiben das Buch.«
»Warum?«, fragte ich verdutzt.
»Weil ich es mir wünsche.«

Regel 1
Fangen Sie einfach an

Um *erfolgreich wünschen* zu lernen ist das Beste, was wir tun können, einfach einmal zu beginnen. Und zwar mit leichten Fingerübungen. Wir wollen doch schließlich ganz schnell die ersten Erfolge sehen.

Und wie kommt man am schnellsten zu den ersten Erfolgen?
Mit kleinen Wünschen.
Warum mit »kleinen«?
Bei ihnen kann man leichter spielerisch und unvoreingenommen an das Wünschen herangehen. Dinge, die einem weniger bedeuten, sind auch weniger mit Angst besetzt. Man kann sie sich vor dem geistigen Auge vorstellen und sie anschließend wieder vergessen, sie also loslassen und somit auf die energetische Reise schicken. Bei unwichtigen Dingen vertraut man eher, dass der Wunsch erfüllt wird, weil einem nicht so viel

daran liegt. Gerade das Vertrauen ist eines der wichtigsten Dinge, um erfolgreich zu wünschen. Vertrauen schafft den Glauben daran.

Der Glaube an den Erfolg schafft den Erfolg.

Wichtig ist also nur der Glaube daran. Er ist die Urquelle, die den Wunsch beständig mit Energie speist. Es ist immer der Glaube, der Berge versetzt.

Die Sache mit dem Verstand

Der Verstand dagegen will logische Erklärungen und wird uns deshalb zu überzeugen versuchen, dass dies alles nicht funktionieren kann. Er weiß es noch nicht besser. Aber jede neue positive Erfahrung und jedes Erfolgserlebnis werden dazu beitragen, dass auch er bald davon überzeugt ist, dass wir die Fähigkeit haben erfolgreich zu wünschen. Schließlich ist er enorm lernfähig. Doch er kann nur das wissen, was er erfahren hat und was er versteht. Alles andere will und kann er nicht wahrnehmen.
Deshalb ist der Verstand für Wunder nicht zuständig. Er versucht sogar regelrecht, alle

möglichen Wunder zu verhindern. Was nicht in sein Weltbild passt, darf nicht sein. Aus diesem Grund erkläre ich später – für den Verstand anhand wissenschaftlicher Erkenntnisse –, wieso unsere Wünsche nicht nur erfüllt werden können, sondern dass sie sogar immer, und zwar ausnahmslos, erfüllt werden. Das können wir dem Verstand dann entgegenhalten, wenn er wieder mit dem Zweifeln beginnen will.
Um eins klar zu stellen: Die großen Wunder könnten genauso funktionieren, dem Universum ist es egal wie groß oder klein unser Wunsch ist.

Es ist immer nur unsere Vorstellung, die etwas zulässt oder verhindert.

Weil aber gerade unsere Vorstellung so gestrickt ist, dass wir nicht wirklich an die Erfüllung unserer Wünsche glauben, arbeiten wir unbewusst sehr stark gegen die Erfüllung von scheinbar *großen* Dingen.
Kleinere »Wunder« dagegen könnten unter gewissen zufälligen Umständen vielleicht ja mal doch passieren, nach dem Motto: »Ein blindes Huhn findet auch mal ein Korn.«
Aber nach dem ersten kleineren »Wunder« findet

man vielleicht den Mut für ein weiteres kleines Wunder, das dann vielleicht gar kein Wunder mehr ist, sondern vielleicht doch so etwas wie die erfolgreiche Lieferung unseres Wunsches. Das vierte und fünfte Wunder wird immer mehr zur Bestätigung. Unser Verstand realisiert, dass es da anscheinend noch etwas gibt, was er nicht erklären kann. Er passt sich an und baut sich ein neues Konzept. Und plötzlich beginnt er die neue Welt zu akzeptieren, denn *erfolgreich wünschen* ist etwas, was dem Verstand einleuchtet: Er sendet aus und empfängt. Mit der Zeit empfindet er sich ebenfalls als Schöpfer.
Und plötzlich glauben wir dem größten physikalischen Gesetz:

Energie folgt der Aufmerksamkeit.

Wenn dies wahr ist, sagt sich der Verstand, dann könnte man sich doch auch an die größeren Wünsche wagen. Natürlich. Zunächst jedoch ist es wichtig, unseren Verstand wirklich zu überzeugen. Und dies geht eben am einfachsten erst mal mit kleinen Wünschen. Das Einzige, was wir dabei beachten müssen, ist, dabeizubleiben. Unbeirrbar.

Wir beginnen deswegen mit einer kleinen Testphase. Was wir brauchen ist nämlich ein Erfolgserlebnis, damit unserem Verstand gezeigt wird: »Sieh her, es funktioniert.« Was wir brauchen ist etwas Handfestes, damit wir unsere eingefahrenen Überzeugungen – es funktioniert ja doch nicht – loslassen können.

Übung macht den Meister

Außerdem sind wir doch Anfänger in der Kunst des bewusst *erfolgreich wünschens.* Betrachten wir uns doch als Lehrlinge. Ein Goldschmiedelehrling zum Beispiel wird auch nicht als Erstes mit der Herstellung eines wertvollen Brillantkolliers betraut. Er weiß, dass dies sein Ziel ist. Am Ende seiner Gesellenzeit kann er auch mit den wertvollen Materialien umgehen, bei denen es wirklich darauf ankommt.
Das ist auch unser Ziel, wir wollen, dass uns das Wünschen bei großen wie bei kleinen Dingen leicht von der Hand geht und wir das gewünschte Ergebnis erhalten. Deswegen üben wir lieber erst einmal an den kleinen Wünschen und sammeln hier unsere Erfahrungen. Und Erfahrungen sammeln heißt auch: Fehler machen und daraus

lernen. So wie es mir bei dem Wunsch nach der Kinorolle ergangen ist. Üben wir also an den Dingen, bei denen wir auch rasch einen Erfolg sehen.

Die Parkplatzreservierung

Wie wäre es zum Beispiel mit dem berühmten Parkplatz, den es nie gibt, weil ihn immer andere vor uns wegschnappen? Dies hätte zwei Vorteile.

Vorteil 1

Parkplätze sind die leichteste Übung, weil sie in ihrem spielerischen Charakter nicht so gefährlich und ernsthaft für uns und unseren bisherigen Glauben sind. Wenn wir uns durch *erfolgreich wünschen* einen Parkplatz beschaffen könnten, würde das unser Denksystem noch nicht ins Wanken bringen. Das ist deswegen so wichtig, weil unser Verstand sonst größte Gefahr für sich als »Chefdenker« wittern würde und dagegen arbeiten könnte.
Aber ein Parkplatz ist eher ein Spaß, ein Spiel. Falls der wirklich klappen sollte, beweist das noch gar nichts.

Vorteil 2
Ein Parkplatz ist auch nicht wirklich wichtig genug, dass wir glauben könnten: »Es steht uns nicht zu.« Bei größeren Dingen ist es da schon ganz anders. Bei Dingen, die uns wirklich wichtig sind, zweifeln wir viel eher und glauben wesentlich schneller, dass sie nicht eintreten werden, weil wir insgeheim überzeugt davon sind, dass uns so etwas Wundervolles nicht zusteht. »Dafür bin ich nicht schön, klug, reich oder intelligent genug.«
Aber einen Parkplatz zu beschaffen hat einen spielerischen, nicht wirklich ernstzunehmenden Charakter. Und genau das wollen wir uns zunutze machen.
Wie geht das nun?

Meine Parkplatzbestellung
Beim Verlassen des Hauses sende ich eine kurze Bitte aus. Als Ansprechpartner nehme ich hier einfach die Parkplatzengel. Ich könnte natürlich auch sagen »lieber Kosmos« oder »liebes Universum« oder »liebe Wunschenergie«.
Wie man es nennen möchte ist genau genommen egal, Hauptsache es funktioniert. Mir sind jedenfalls die Engel am liebsten. Ich empfinde sie

als persönlicher und näher. Welchen Ansprechpartner man auch immer wählt, wichtig ist: nicht belächeln, nicht zweifeln und *erfolgreich wünschen* nicht als Blödsinn abtun. Wir wollen doch einen Parkplatz und es ist unsere Testphase. In einer Testphase kann man auch einmal ungewöhnliche Dinge tun.

»Also, lieber Parkplatzengel. Ich habe in der ...-straße einen Parkplatz. Er ist jetzt bereits für mich bestimmt. Ich bekomme ihn, und zwar genau dann, wenn ich dort ankomme.«

Man sollte seinen Wunsch aber nicht zu knapp vor Eintreffen formulieren, denn auch das Universum braucht einen gewissen Vorlauf. Also am besten bereits beim Verlassen des Hauses den Wunsch aussprechen.

Und!! Es funktioniert!!
Heute wollen wir daran glauben. Heute testen wir unsere Gedankenkraft und sehen, wie einfach das Leben sein kann. Auf der Fahrt dorthin sollten wir nicht mehr daran denken als nötig ist. Am besten gar nicht. Denn wenn man noch keine Übung im *erfolgreich wünschen*

hat, werden eher Selbstzweifel einsetzen als die Gewissheit, dass alles zum Besten für einen arbeitet.
Tatsache jedenfalls ist, wenn wir mit unserem Auto unser Ziel erreichen, wird das Wunder geschehen. Entweder ist genau dort, wo wir es brauchen, bereits ein Parkplatz frei oder es fährt gerade jemand weg.

Seitdem Michaela und ich *erfolgreich wünschen*, haben wir kein Problem mehr mit der Parkplatzsuche. Seit Jahrzehnten nicht mehr! Wir geben die Bitte inzwischen sogar fast beiläufig ab, weil wir wissen, dass die Kommunikation steht und unser Wunsch ankommt.
Manchmal ist es sogar so, dass ich den Platz nicht sehe und »dort oben« nachfrage oder ein Zeichen bestelle. Auch das funktioniert. Entweder hupt einer oder jemand verhält sich so auffällig, dass mein Blick dorthin gelenkt wird.

Doch nicht immer läuft alles perfekt. Manchmal vergessen auch wir zu wünschen und dann müssen wir beide immer sehr lachen, weil alles voll mit parkenden Autos ist. Dann frage ich Michaela immer: »Du hast wohl zu spät bestellt?« Ihre

Antwort ist auch ewig gleich: »Ich dachte, du hättest schon längst einen geordert.«
In diesem Moment wird uns der Unterschied zwischen *erfolgreich wünschen* oder selber für alles kämpfen plötzlich wieder so klar.

Mit dem Universum zu arbeiten
ist wesentlich einfacher
als sich alleine abzustrampeln.

Also, nutzen wir die Kraft, die uns allen immer zur Verfügung steht. Auch wenn es nur um etwas so Simples wie einen Parkplatz geht.

Michaela und ich erleichtern uns das Alltagsleben mit diesen kleineren Wünschen schon so lange, dass es uns bereits vollkommen selbstverständlich vorkommt. Wir könnten allein mit diesen kleineren »Wundern« ein ganzes Buch füllen.

Auf Pflanzensuche

So wollten wir zum Beispiel vor ein paar Jahren für unser gemütliches Zuhause Pflanzen haben. Natürlich sollten sie groß sein. Am besten sollten sie bis zur Decke reichen. Wir gingen in Baumärkte und Pflanzengeschäfte und Baum-

schulen. Aber schnell wurde uns klar, dass das, was wir wollten, unseren finanziellen Rahmen sprengte. Große ausgewachsene Palmen und andere Pflanzen kosteten ein Vermögen. Ganz zu schweigen von schönen Töpfen.
Also blieb uns nur noch eines: Wünschen, Danken und Vertrauen.
Bereits eine Woche später läutete das Telefon. Ein Freund fragte uns, ob wir nicht Lust hätten ihn zu begleiten. Eine größere Firma würde wegen Konkurs ihre Möbel verkaufen. Büromöbel wollten wir eigentlich keine, aber unser Freund konnte unsere Hilfe ganz gut gebrauchen.
Als wir das Bürogebäude betraten, war uns alles klar. Riesige wunderschöne Kübel mit gewaltig groß gewachsenen Pflanzen lachten uns an. Und da keiner sie wollte, bekamen wir sie vom Konkursverwalter fast geschenkt. Wir mieteten einen LKW und fuhren sie noch am gleichen Tag nach Hause. Die Pflanzen waren wirklich so groß, dass wir zu Hause erst einmal Platz schaffen mussten.

Suchen Sie sich noch mehrere solcher kleinen Wünsche aus. Werden Sie erfolgreich damit. Überzeugen Sie sich und Ihren Verstand, gewinnen Sie Vertrauen. Dann können Sie sich getrost auch mit den größeren Wünschen befassen. Sie müssen es nur tun. Auch wenn Sie sich anfangs vielleicht lächerlich vorkommen. Übrigens findet nur Ihr Verstand Sie lächerlich. Aber Ihr Verstand ist eben für »Wunder« nicht zuständig.

Regel 2
Richtig formulieren

Das »Ich bin«-Prinzip

Der größte Fehler, der beim Wünschen immer und immer wieder gemacht wird, ist der, dass bereits durch die Wortwahl eine völlig andere Botschaft ausgesandt wird als beabsichtigt. Obwohl man es so gut meint, kommt man seinem Ziel nicht näher. Im Gegenteil. Meist formuliert man seine Wünsche sogar so, dass man den unglücklichen Zustand, in dem man sich befindet, erst recht zementiert.

Wünscht man sich zum Beispiel viel Geld, ist es völlig falsch den Befehlssatz »*Ich will* reich sein« zu formulieren. Was man dann bekommt, ist der Zustand von: »Ich-will-reich-sein.« Diesen Zustand kennen wir bereits. Es ist der Zustand von »etwas-wollen« und »nicht-haben«. Auf diese Weise verstärken wir also nur unseren Mangel.

Schaffen Sie nicht den Zustand von etwas-wollen, sondern von etwas-sein.

Die richtige Formulierung lautet daher: »Ich bin bereit für den Reichtum in meinem Leben.« Oder: »Ich bin reich und glücklich.« Oder: »Das Geld, das für mich bestimmt ist, gibt es bereits und es findet gerade den besten Weg, um in mein Leben zu treten.«

> Unser Satz heißt: »*Ich bin* reich.« Und nicht: »*Ich will* reich werden.«

Wollen wir eine glückliche Partnerschaft, dürfen wir uns nicht wünschen: »Ich will den richtigen Partner in meinem Leben haben«, oder »Ich möchte den richtigen Partner treffen.« Auf diese Weise bleibt alles beim Alten. Das Universum versteht, dass wir etwas wollen und schickt uns den Zustand des Wollens. Das Universum kennt keinen Unterschied zwischen Gegenwart und Zukunft. Das, was wir denken und fühlen, wird geliefert. Das bedeutet für unsere Wunschformulierung:

Wir wünschen immer in der Gegenwartsform, nie in der Zukunftsform.

»Ich will glücklich sein«, bringt uns leider eben genau das: das Wollen. Wir werden es weiterhin wollen. Das Universum versteht es so, dass es unser Wunsch ist, etwas zu wollen. »Ich bin glücklich«, bringt uns den Zustand, den wir uns eigentlich wünschen.

»Ich bin offen und bereit, die Liebe zuzulassen«, öffnet die Türe. Das Suchen hat ein Ende. »Ich weiß, dass der richtige Partner bereits vorhanden ist und jetzt in mein Leben tritt«, bringt mir die gewünschte Person in mein Leben.

So tun als ob

Wünschen wir uns einen Wohnzimmerschrank, so ist es das Beste, den alten Schrank bereits auszuräumen und ihn zu verschenken oder abholen zu lassen. Wir gehen davon aus, dass der Wunsch bereits bearbeitet wird. Wir haben den Schrank bereits »gekauft«. Den Schrank gibt es also schon und es ist nur noch eine

Frage der Zeit, bis der neue Schrank in unserem Wohnzimmer steht.
Das So-tun-als-ob bringt das Universum in Zugzwang. Je deutlicher unser Wunsch in unserer Vorstellungskraft bereits vorhanden ist, desto schneller muss das Universum die seltsame Unausgeglichenheit zwischen Gedankenkraft und Realität ausgleichen.

Das, was wir wünschen,
haben wir bereits.

Auf diese Weise nimmt der Druck unseres Wunsches gewaltig zu. Die ausgesandte Energie ist so stark, dass die Bestellung ganz oben auf dem Stapel unseres »Sachbearbeiters« liegt. Egal ob es sich um einen Schrank, Geld oder unseren neuen Partner handelt.

Je mehr wir so tun, als wären wir bereits reich oder als hätten wir bereits die gewünschte Partnerschaft, desto schneller realisiert sich das Gewünschte, weil wir beständig unglaublich starke Energie aussenden. Wir ziehen das Ereignis regelrecht in unser Leben.
Das bedeutet nicht, dass wir, wenn wir reich

sein wollen, bereits vorher schon kräftig Geld ausgeben und unser Konto überziehen sollten. Es bedeutet vielmehr, uns bereits als reich zu fühlen. Reichtum ist bereits Bestandteil unseres Lebens.

Wir können unsere Wünsche bekräftigen, indem wir so tun, als hätten sie sich bereits erfüllt. Warum ist dieser Zustand des So-tun-als-ob so wichtig? Weil wir uns dadurch immer wieder mit dem Kommenden auf positive Weise beschäftigen und uns bereits erwartungsvoll darauf einstimmen. Also in die richtige Schwingung bringen.

Darüber hinaus lassen unsere Zweifel nach, wir verstärken unser Vertrauen und spüren rein emotional, wie schön dieser Zustand für uns sein wird. Gleichzeitig geben wir dem Verstand wenig Raum nach Gegenargumenten zu suchen. Immer wenn er uns überzeugen will, wie unmöglich unser Vorhaben eigentlich ist, besitzen wir bereits als Gegengewicht die Erfahrung der Freude und der Lebenskraft, die sich in unserem Leben durch das Kommende gerade manifestiert: »So fühlt es sich an, wenn es da ist.« Emotionen sind immer stärker und intensiver als die Argumente des Verstandes.

Durch das »Vorfühlen« werden wir in unserem

Wunsch bestärkt und geraten nicht so leicht ins Wanken.
Vor allem aber verwandeln wir unser Mangelbewusstein in ein Wohlstandsbewusstsein. Das, was wir uns wünschen, besitzen wir, weil es uns von Natur aus zusteht. Wir kreieren nicht länger emotionale oder finanzielle Armut, sondern nehmen jedes Ereignis oder jede Begegnung als etwas wahr, was uns unserem Wunsch näher bringt.

»Nicht« und »kein« – oder die Sache mit der Angst

Vor Wünschen, die mit einer gehörigen Portion Angst im Hintergrund erfolgen, sollte man sich in Acht nehmen. Angst ist wie ein riesiger Magnet.

Ängste ziehen genau die Ereignisse an, die wir verhindern wollen.

Angstbesetzte Gedanken sind sehr emotionsgeladen. Sie haben somit eine außerordentlich starke Energie. Darüber hinaus beschäftigen wir uns besonders ausgiebig mit den Dingen, vor denen

wir uns fürchten. Wir stellen uns also ständig die schlimmsten Szenarien in allen möglichen Details vor und lassen sie immer wieder vor unserem geistigen Auge ablaufen.
Obwohl wir Angst davor haben, beschäftigen wir uns mehr mit ihnen als mit den angenehmen Dingen des Lebens. Selbst wenn es uns gut geht und alles prima läuft, erkennen wir nicht das Wunderbare in unserem Leben, sondern tauchen in eine dumpfe Angstenergie ein.
Energie folgt aber immer der Aufmerksamkeit. Das bedeutet, wir ziehen immer die Ereignisse an, mit denen wir uns beschäftigen.
Aber genau das wollen wir doch nicht. Genau genommen wollen wir das Furchtbare doch gerade vermeiden.

Alles, was wir vermeiden wollen,
ziehen wir in unser Leben.

Wenn wir auf angstbesetzte Weise etwas wünschen, wollen wir in Wahrheit etwas vermeiden. Egal wie positiv wir es auszudrücken versuchen – in Wirklichkeit steht dahinter meist der Gedanke von »Ich will nicht, dass...«, oder »Ich möchte kein...«.

Das Universum kennt aber die Worte »nicht« und »kein« nicht. Mit der Verneinung kann es nichts anfangen. Ebenso wenig mit dem Versuch etwas vermeiden zu wollen, also etwas nicht zu tun. Solch ein Wunsch wird fast immer vollkommen gegensätzlich zu unserem wirklichen Wunsch ausgeführt. Das Universum filtert nämlich die Worte »kein« und »nicht« einfach aus dem Bestellformular heraus und führt es so aus, als würden wir uns genau dies so wünschen.

»Ich will nicht krank sein«, bedeutet als Wunschenergie: »Ich will krank sein.« Warum ist das so?

Wir können nicht etwas *nicht* entstehen lassen. Wir können immer nur *etwas* erschaffen und nicht *etwas nicht* erschaffen. Allein der Gedanke an nicht-erschaffen, erschafft das Unerwünschte. Nicht nur weil das Universum das Wort »nicht« einfach aus Unkenntnis streicht – wie kann man auch etwas *nicht* werden? –, sondern auch weil hinter diesem Wunsch die Angst vor einer Krankheit wesentlich größer ist, als der Wunsch gesund zu sein.

Etwas vermeiden zu wollen geht also nicht. Aber wir können das Gegenteil davon entstehen lassen. Wir müssen uns also mit der positiven Entsprechung beschäftigen. Der Befehl, der dort »oben« verstanden wird, müsste eigentlich lauten: »Ich bin gesund.« Dieser Befehl ist einfach und klar. Mit diesem Wunsch beschäftigen wir uns nämlich mit unserer Gesundheit und nicht mit Krankheit.

Aber ganz ehrlich. Wie viele solcher Negativwünsche denken und sprechen wir jeden Tag aus? »Ich will nicht arbeitslos werden. Ich will nicht sterben. Ich will keinen Unfall haben. Ich will nicht verlassen werden. Ich will nicht arm sein.«
Tatsächlich beschäftigen wir uns auf diese Weise jedoch nur mit den negativen Aspekten und senden diese Energie hinaus. Was dementsprechend dort »oben« ankommt, wissen wir ja jetzt.
Richtig gewünscht müsste es lauten: »Ich habe Arbeit. Ich bin glücklich in meiner Beziehung. Ich habe alles, was ich brauche.«

Vielleicht versteht der eine oder andere nun auch, warum so manche Wünsche so falsch geliefert wurden. In Wahrheit wurden sie gar nicht falsch ausgeführt. Die Lieferung war sogar sehr prompt und exakt. Das Wunschformular wurde nur falsch ausgefüllt.

Schreiben Sie den Wunsch auf

Auf diese Weise wird der Wunsch verstärkt. Er verlässt unseren Körper zum ersten Mal physisch. Allein dadurch gewinnt er an Kraft. Wir meinen es plötzlich ernst. Wir verlassen den Raum der Spekulationen und Träume, in dem wir noch immer nicht so wirklich daran glauben.

Wenn wir es niederschreiben, manifestieren wir unseren Wunsch.

Ab nun ist er in der Materie. Es ist unser fester Wille. Unerschütterlich, klar und eindeutig.

Besonders wenn man Anfänger im Wünschen ist, sollte man seinen Wunsch schriftlich festhalten. Später, wenn man bereits Routine und einen gefestigten Glauben besitzt und auf genügend Erfolge zurückblicken kann, kann man gelegentlich mal auf das Schreiben verzichten. Dann kann man auch so locker vom Hocker bestellen oder einen kurzen Blick nach oben werfen oder was immer einem dazu einfällt.

Der Nachteil aber ist, wenn wir nur so nebenbei wünschen, werden wir irgendwann nicht mehr wissen, was wir uns alles gewünscht haben und früher oder später den Überblick verlieren.

Außerdem wünschen wir uns nicht nur so en passant immer etwas, sondern wir wünschen ständig auch wieder ab und um und neu und wieder doch ganz anders. Oft haben wir es gar nicht so gemeint, waren nur einen Moment lang davon beseelt und wünschen uns im nächsten schon wieder etwas anderes. Dem Universum ist es egal. Das, was gewünscht wird, wird geliefert, auch wenn wir es vielleicht gar nicht mehr gebrauchen können. Und plötzlich sind wir in einem Sammelsurium von ausgesandten Wünschen und haben keinen Überblick mehr über unser Leben. Es geschehen dann unzählige verschiedene und gegenläufige Dinge um uns herum und in all dem Chaos erkennen wir nicht mehr, dass wir die Schöpfer aller Dinge sind. Dazu kommen noch all unsere unbewussten

Wünsche, die wir erst recht nicht haben wollen.
Und schon sind wir wieder da, wo wir doch nicht mehr sein wollten: Dinge treffen ein und wir haben keine Ahnung, wer das alles in Auftrag gegeben hat.
Unsere ersten Wünsche sollten wir also lieber ganz bewusst realisieren. Und ihnen mit dem Aufschreiben eine klare Richtung und Gewichtigkeit geben.
Zumindest für den Anfang rate ich auch dazu, sich ein kleines Ritual dafür zu schaffen.

**Mein Wunsch ist es mir wert,
mich damit zu beschäftigen.**

Lass deshalb den Augenblick zu einem besonderen Augenblick werden. Nimm dir Zeit und Ruhe. In diesem Moment gestaltest du dein Leben. Vielleicht legst du schöne Musik auf, zündest ein paar Kerzen an oder aber bleibst in absoluter Stille. Wichtig ist dabei, dich zu entspannen.
Wenn wir entspannt sind, sieht das Leben viel angenehmer aus und unser Wunsch gestaltet sich wesentlich positiver. Und positive Gedanken sind ein Katalysator für unsere Wunschenergie. Warum

das so ist, darüber werden wir später noch ausführlicher reden.
Wenn du deinen Wunsch nun ganz klar für dich formuliert hast, schreibe ihn auf, mit der tiefen Gewissheit, dass er nun erfüllt wird.
Falte den Zettel zusammen und lege ihn an einen besonderen Ort. Es sollte ein schöner Platz sein, denn dieser Ort zeigt uns, wie wichtig und »heilig« unser Wunsch für uns ist. Es darf durchaus ein geheimer und für fremde Augen nicht sichtbarer Ort sein. Wichtig ist nur, dass wir um die Kraft des ausgesandten Wunsches wissen, und dies lässt sich unter anderem auch durch einen besonderen Ort für unseren kleinen Zettel bekräftigen.

Das Aufschreiben auf ein Blatt Papier oder eine Karte oder in das Tagebuch hat noch einen weiteren Vorteil. Es ist gleichzeitig eine fabelhafte Beweisführung für unseren Verstand.
Denn bereits nach kurzer Zeit wissen wir meist nicht mehr so genau, was wir geschrieben haben. Wir kennen zwar den ungefähren Sinn unseres Wunsches noch, aber die Worte verdrehen sich im Laufe der Zeit ganz gerne in unserer Erinnerung. Kein Wunder, strömen doch jeden Tag unzählige neue Einflüsse auf uns ein. Wir verändern uns,

unsere Gedanken verändern sich und damit auch unsere Erinnerung, die uns meist eine nicht zu trennende Mischung aus Wahrem, Gedachtem und Erhofftem vorspiegelt.
Wird der Wunsch dann geliefert und man kann die ursprüngliche Bestellung wieder nachlesen, so erlebt man meist eine wundersame Überraschung. Voller Staunen wird man feststellen, wie exakt der Wunsch tatsächlich gemäß unseres schriftlichen Auftrags in Erfüllung gegangen ist.

Ohne das schriftliche Festhalten des Wunsches, wird man allerdings mit Sicherheit des Öfteren vor unlösbaren Rätseln stehen. So jedenfalls erging es mir. Obwohl mein Wunsch ganz genau ausgeführt worden war, konnte ich zunächst nichts damit anfangen, weil ich ihn mir nicht aufgeschrieben und natürlich in meiner Freude den genauen Wortlaut meines Wunsches vergessen hatte.

Das Geschenkpaket ist angekommen, doch es lässt sich nicht öffnen

Vor ungefähr zehn Jahren, nach unserem Kinofilm »Und das ist erst der Anfang«, waren wir fast pleite. Wir hatten unser gesamtes Geld in unsere eigene

Produktionsfirma gesteckt. Obwohl der Film erstaunlich gut ankam, spielte er nicht genügend Geld ein. Darüber hinaus hatten Michaela und ich auf Rückstellung gearbeitet, das heißt, auf einen Großteil unserer Gagen verzichtet, damit sie dem Film zugute kamen.
Nach dem Ausschöpfen aller finanziellen Möglichkeiten mussten wir unsere Firma schließlich schließen und wussten nicht genau, wie unsere finanzielle Zukunft aussehen würde. Man könnte es auch etwas drastischer formulieren: Wir hatten alles verloren und standen vor einem rigorosen Neuanfang. Die Situation war mehr als gespannt. Von meiner Autorentätigkeit konnten wir noch nicht leben, und als auch unsere letzten Ersparnisse rascher zur Neige gingen, als wir gedacht hatten, machte sich bei mir langsam Panik breit und ich teilte Michaela meine ganzen Sorgen mit. Ich malte ihr die schlimmsten Szenarien aus und war in meiner ängstlichen Hoffnungslosigkeit durchaus überzeugend. Zumindest fand ich das. Ich machte ihr unmissverständlich klar, dass wir entweder sofort wieder mit der Schauspielerei beginnen müssten oder aber das teure Haus kündigen sollten. Am besten wäre es, wir würden so bald als möglich eine kleine Woh-

nung beziehen. Nur so hätten wir die Chance, alle Kosten in einem erträglichen Rahmen zu halten, bis ich vielleicht das erste Geld mit dem Schreiben verdienen würde.

Michaela lächelte nur. Und wenn Michaela lächelt, kann man ihr nichts auf der Welt abschlagen. Ich jedenfalls nicht. Wenn Michaela lächelt, lächelt ihre Seele und man weiß, alles wird gut.
Gleichzeitig war mir aber auch klar, dass kein einziger meiner Vorschläge angenommen werden würde.
Die einzige Lösung, die für sie in Frage kam, war, einen Wunsch mit Erfolgsgarantie beim Universum abzugeben. Michaela tat dies schon seit ihrem elften Lebensjahr und das Wunderbare an ihr ist, dass es nur wenig gibt, was sie erschrecken könnte. Denn schließlich hat sie einen dicken Verbündeten in ihrem Leben – ja, natürlich außer mir – das Universum.
Als Michaela und ich uns das erste Mal begegneten, trafen sich also zwei aktive »Wünscher«. Und immer wenn einer von uns beiden mal »unten« ist, holt der andere ihn wieder hoch und dann erinnern wir uns gegenseitig daran, dass wir

doch eigentlich nichts anderes zu tun brauchen, als unsere Wunschkraft einzusetzen.
An diesem Abend war das Michaela, die lächelnd die einzig wirklich sinnvolle Lösung vorschlug. Wir müssten doch einfach nur *erfolgreich wünschen*.

**Wenn gar nichts mehr geht,
wünschen geht immer.**

Natürlich. Wie konnte ich das nur vergessen? Allein durch die Sicherheit, die Michaela ausstrahlte, fand ich zurück zu meinem verlorenen Urvertrauen.
Wenn Schreiben wirklich mein »Ding« ist und ich künftig weiterhin schreiben sollte, müsste das Universum doch für die finanzielle Sicherheit sorgen. Also war es nur naheliegend, dass meine Bestellung aufgenommen und prompt geliefert werden würde. Damals dachte ich noch, dass ich so eine Art Berechtigung für meine Wünsche bräuchte.
Wie viel Geld brauchte ich? Wie lange würden wir davon leben müssen? Was wäre eine schöne Zahl? Wie viel Geld hatten wir durch die Firma verloren? Wie viel Geld hatte ich durch den

Verzicht auf den Großteil meiner Regie- und Autorengagen nicht bekommen? Wir sollten von diesem Geld mindestens ein Jahr sorgenfrei leben können und es sollte ungefähr so viel sein, wie der Betrag, auf den ich für unseren Film verzichtet hatte.
Bald kam ich auf eine Summe um die 80.000 Mark. Eine wirklich schöne Zahl aber wäre 77.777 Mark. Schließlich war der Wunsch klar.
Ich bedankte mich bereits für die Erfüllung des Wunsches, ich war mir sicher, das Geld würde kommen und wollte nicht mehr daran denken. Und damit gar nicht in die Versuchung kommen zu zweifeln. Mein Wunsch sollte doch seine Kraft und Energie behalten.

Einige Wochen später waren wir beide in Düsseldorf zur Unesco-Gala eingeladen, um dort für einen guten Zweck Lose zu verkaufen.
Wie jedes Mal kauften wir uns selber auch ein paar. Aber an diesem Abend war kein einziges unserer Lose ein Gewinn. Nicht einmal ein Buch oder ein Fön oder eine lächerliche CD. Alle Preise waren bereits gezogen und an glückliche Gewinner verteilt worden, bis auf einen: den Hauptgewinn, einen nagelneuen Jaguar.

Plötzlich, in der gleichen Sekunde, als das riesige Losrad sich zum letzten Mal zu drehen begann, wusste ich, das ist der Moment, in dem sich mein Wunsch materialisiert. Dies war der große Augenblick. In diesem Moment war ich mir des Universums und all seiner Geschenke bewusst. Ich wusste, in diesem Augenblick wird mein Wunsch erfüllt. Ich war verbunden, ich war eins, ich stammelte noch: »Oh mein Gott, jetzt passiert es«, und Michaela sah mich ratlos an. Und dennoch, obwohl ich es »vorfühlte«, war ich, als Kai Pflaume, der Moderator des Abends, meine Losnummer aufrief, genauso fassungslos wie Michaela. Kai war so überrascht, mich auf der Bühne zu sehen, dass er mein Los gleich mehrmals überprüfte. Aber kein Zweifel, ich hatte den Hauptpreis des Abends gezogen, einen Jaguar im Wert von 111.000 DM.

Nun entstand die Frage, was für einen Preis wir für den Wagen erzielen könnten, denn dass wir ihn nicht behalten wollten, war Michaela und mir klar. Der Erlös sollte doch schließlich mein weiteres Schreiben sichern. Ein renommiertes Autohaus übernahm den Verkauf und setzte den Preis auf 104.000 DM an.

Eine Woche verging, eine zweite und noch eine. Der Wagen wurde nicht verkauft. Kunden gab es genügend, aber alle gingen an unserem Wagen vorbei und erstanden das gleiche Modell, aber zum vollen Preis.
Nach drei Wochen senkten wir den Preis auf 99.000 DM. Das Autohaus war nicht begeistert. Sie befürchteten, sich selbst die Preise kaputt zu machen. Aber schließlich gaben sie meinem Druck nach. Eine Woche verging, eine zweite, der Wagen wurde nicht verkauft.
Nach langen Kämpfen wurde der Preis abermals gesenkt, auf 88.000. Vergebens. Der Wagen blieb unverkäuflich. Keiner verstand es. Der Wagen war ein Schnäppchen, an Kundschaft mangelte es ebenso wenig, doch keiner wollte diesen Wagen, der inzwischen direkt am Eingang stand, haben. Auch nicht für 85.000.

Michaela und ich verstanden die Welt nicht mehr. Das gewünschte Geld war praktisch vor unseren Augen, aber es schien keinen Weg zu geben, wie es zu uns finden konnte.
Dabei musste die Lösung sicherlich einfach sein. Schließlich hatten wir bisher immer *erfolgreich gewünscht*. Der Gewinn des Wagens war doch

Beweis genug. Trotzdem verstanden wir nicht, was hier falsch lief. Also setzten wir uns ganz ruhig hin und fragten nach innen.
Da fiel es uns wie Schuppen von den Augen. Wir *verstand*en es nicht. Aber der Verstand kann einem bei einer erfolgreichen Lieferung nur selten weiterhelfen. Meist ist es die Intuition, die einem den richtigen Weg weist. Die Antwort war ebenso logisch wie einleuchtend. Ich hatte darum gebeten, dass mir der verzichtete Betrag unseres Filmes ausgeglichen wird und wir sollten ein Jahr davon leben können.
Der Betrag, um den ich gebeten hatte, war ca. 80.000 DM. Oder nicht? Doch dann – natürlich – ich konnte mich erinnern. Mir hatte die Wiederholung der göttlichen Zahl 7 gefallen. Das heißt, der exakt richtige Betrag, den ich mir gewünscht hatte, war 77.777 DM.

Hektisch rief ich bei dem Autohaus an, aber dort zeigte man sich überhaupt nicht begeistert. Man weigerte sich den Wagen so billig herzugeben. Erst nach einem längeren Disput ließ man sich widerwillig darauf ein.
Eine Woche verging, eine zweite, der Wagen wurde nicht verkauft. Ich verstand die Welt nicht

mehr. Jetzt stimmte doch alles. Warum wurde meine Bestellung nicht ausgeliefert?
Ich rief erneut an. Ob man auch wirklich den Wagen mit 77.777 DM ausgezeichnet hätte? Nach längerem hin und her gestand man mir, dass ich zwar die 77.777 von ihnen bekommen würde, aber sie wollten doch auch ein bisschen daran verdienen und hatten den Wagen mit 82.000 ausgezeichnet. Erst als ich vehement darauf bestand, den vereinbarten Preis am Wagen zu kennzeichnen, ließ man sich darauf ein. Vielleicht auch nur, um mich endlich loszuwerden.
Keine zwei Stunden später erfolgte der Anruf. Man hatte den Wagen zu diesem Preis sofort verkauft.

Mitten in die Freude hinein, begann ich mich auch etwas zu ärgern. Wieso hatte ich Idiot mir nicht 88.888 oder 99.999 gewünscht – oder das Geld für zwei Jahre? Dann hätte ich für den Jaguar wesentlich mehr bekommen.
Aber hätte ich auch wirklich mehr als die 77.777 erhalten? Mit diesem Geld kamen wir beide nämlich prima über die Runden. Wahrscheinlich war es genau der richtige Betrag, der mir

zustand. Oder wurde die Bestellung einfach nur ganz exakt ausgeführt?
Oder war es nur eine Aneinanderreihung von Zufällen?
Das Erstaunlichste an dieser ganzen Geschichte ist aber nun Folgendes. Nicht einmal ein Jahr zuvor hatte meine wundervolle Michaela ebenfalls ein Auto gewonnen! Einen kleinen roten Toyota, den wir heute noch fahren.
Wie es dazu kam? Nun, Michaela würde sagen, sie hatte sich diesen Wagen einige Wochen vorher beim Universum gewünscht. Aber über diesen wundervollen Gewinn erzähle ich später ausführlicher.

Doch zurück zum Jaguar: Hätte ich mir damals meinen Wunsch aufgeschrieben, so hätte ich mir einiges Kopfzerbrechen und einige Wochen Warten erspart. Ich wusste eben, als der Wunsch dann erfüllt wurde, nur noch vage, was ich mir tatsächlich, ganz exakt gewünscht hatte.

Was übrigens ebenfalls ziemlich oft passiert, ist, dass uns gewisse Teile der Lieferung nicht oder nicht mehr gefallen. Vielleicht hatten wir sie auch so nie gedacht. Dann sind wir meistens felsenfest davon überzeugt, dass die Bestellung falsch ausgeführt wurde. Das Geschriebene jedoch belegt die ursprüngliche Wunschformulierung und zeigt uns, wie genau der Kosmos gearbeitet hat und wie ungenau wir formuliert haben. Gerade durch das Aufschreiben des Wunsches lernt man innerhalb kurzer Zeit mit der Differenz zwischen dem Gewünschten und dem tatsächlich Gelieferten umzugehen. Allein durch das vergleichende Arbeiten wird man rasch seine Wünsche so präzisiert haben, dass sich das Leben »wunder«-voll gestaltet. Mit der richtigen Wortwahl ist *erfolgreich wünschen* nämlich ziemlich einfach.

Auf jeden Fall haben wir durch das Notieren unseres Wunsches nun einen Beweis, dass unsere kleine Wunschfabrik funktioniert und kein Hirngespinst ist. Innerhalb kurzer Zeit werden wir schließlich viele solcher kleinen Zettelchen haben und unsere anfänglichen Zweifel verwandeln sich vom gläubigen Staunen schließlich zum überzeugten Wissen.

Nichts ist so erfolgreich wie der Erfolg selbst, denn er zieht weiteren Erfolg nach sich.

Als ich wieder mit dem Wünschen anfing, habe ich viele solcher kleinen Zettel gesammelt. Ich brauchte auch viele solcher Beweise, denn schließlich bin ich auf ein naturwissenschaftliches Gymnasium gegangen. Dort bildet man bekanntermaßen hauptsächlich skeptische Realisten aus. Ich benötigte also eine gewisse Zeit meinen Verstand umzuerziehen und von der Wirksamkeit des Wünschens zu überzeugen. Aber schließlich waren die Zettel auch für meinen Verstand schlagkräftig genug. Er verstand, dass es funktionierte und arbeitete nun in die gewünschte Richtung weiter.

Ich arbeite übrigens gerne mit Zetteln. In meinem Arbeitszimmer bedecken zwei Pinwände die Längswände, auf diese Weise ist bei mir das »kreative Chaos« überschaubar. Doch diese »Zettelwirtschaft« ist nicht jedermanns Sache und viele haben mir berichtet, dass sie es vorziehen, ihre Wünsche in ein extra Wunschtagebuch zu schreiben oder mit anderer Farbe in das normale Tagebuch.
Das hat tatsächlich mehrere Vorteile:
Zum Einen kann man später nachvollziehen, wie sich die Formulierung des Wunsches ent-

wickelt hat, vom ersten, verschwommenen: »Ich will ganz viel...«, bis zur endgültigen Fassung. Beim nächsten Mal kann man sich dann viele der Zwischenschritte sparen.
Ein weiterer Vorteil ist, dass man die Wünsche und die Weise, wie sie erfüllt wurden, jederzeit zum Nachschlagen da hat. Auch noch Jahre danach. Daraus kann man nicht nur für künftige Formulierungen viel lernen. Man hat damit auch einen unumstößlichen Beweis, schwarz auf weiß, für den Verstand, wenn er mal wieder zweifeln und alles dem »Zufall« zuschreiben will. Darüber hinaus findet man dadurch immer wieder genügend Motivation, sich erneut etwas erfolgreich zu wünschen. Nicht immer denkt man nämlich an diese Möglichkeit, vor allem dann, wenn einem wieder einmal das Wasser bis zum Hals steht.
Und last not least macht es einfach Spaß seine Erfolgserlebnisse aufzuschreiben!

Klar, knapp und präzise formulieren

Je genauer man bei der Wunschformulierung ist, desto genauer wird die Bestellung ausgeführt. Je vager und diffuser man vorgeht, desto mehr

Möglichkeiten gibt es, etwas anderes zu bekommen, als man sich wirklich vorgestellt hat. Möchte man z. B. einen Schrank für sein Wohnzimmer, so beschreibt man, wie der Schrank aussehen und wo er hinpassen soll. Welche Farbe, welches Holz, welche Größe und ebenso welche Gegenstände darin Platz finden sollen. Ist man nicht wirklich präzise, gibt es eben viel Spielraum zwischen Gedachtem und Geliefertem und man bekommt vielleicht irgendeinen Schrank, den man gar nicht verwenden kann.

Egal wie viele Punkte unsere Bestellung hatte, und wie detailliert wir sie notiert haben, alle Punkte werden ordnungsgemäß ausgeliefert. Trotzdem fällt uns bei der Lieferung manchmal auf, dass es noch ganz andere Einzelpunkte gegeben hätte, die wir vergessen haben und die uns nun sehr stören. Deshalb ist es gar nicht so wichtig einen Tausend-Punkte-Katalog zu erstellen, denn es wird weitere hunderttausend Punkte geben, die uns nicht eingefallen sind und die nun so mitgeliefert werden, wie wir sie uns eher nicht gewünscht hätten.

Versuchen Sie es in zwei oder drei Sätzen auszudrücken.

Das klingt wie ein Widerspruch, ist aber keiner. Denn je präziser und kürzer man sein muss, desto mehr ist man gezwungen, zum eigentlichen Kern seines Wunsches vorzudringen. Kann man es mit zwei Sätzen ausdrücken, weiß man selbst viel genauer, was man sich wirklich wünscht.

Wenn ein Autor seine Idee dem Produzenten vorstellen soll, wird er stets aufgefordert, die Idee in einem Satz auszudrücken. Denn wenn man es nicht schafft, seine Geschichte mit wenigen Worten zu vermitteln, schafft man es mit vielen Worten erst recht nicht.

Deswegen arbeiten Autoren oft sehr lange daran, die Grundidee der Geschichte so knapp wie möglich zu fassen. Ganz ähnlich ergeht es den Werbetextern, die manchmal nur zwei, drei Worte verwenden dürfen. Dennoch soll genau in diesen wenigen Worten die ganze Essenz enthalten sein.

Je knapper man also formuliert, desto präziser wird der Wunsch. Je mehr Worte man benötigt, desto schwammiger und diffuser wird die

Bestellung und damit die Lieferung. Ein kurzer treffender Wunschsatz ist wesentlich kräftiger als eine zweiseitige Abhandlung.
Wie kraftvoll bereits wenige Worte sein können, habe ich oft genug erfahren dürfen.

Unbeabsichtigt und doch erfolgreich gewünscht

Mit 22 Jahren war ich durch das Fernsehen bereits sehr bekannt. Aber nicht am Theater. Fernsehen und Theater vertrugen sich damals nicht. In der Theaterwelt waren Fernsehschauspieler verpönt und galten als Schauspieler zweiter Klasse.
Dass ein Fernsehstar wie ich jemals eine gute Rolle in einem renommierten Theater bekommen könnte, galt als extrem unwahrscheinlich.
Eines Tages aber sah ich im Residenztheater die Aufführung »Hamlet« mit Michael Degen. Diese Vorstellung beeindruckte mich nachhaltig und ich wollte unbedingt auch an diesem Haus spielen. Ein unmögliches Unterfangen. Ich bekam nicht einmal einen Termin beim Intendanten Kurt Meisel oder beim damaligen Dramaturgen. Dies hat mich so geärgert, dass ich meinen ganzen Frust auf ein großes Blatt Papier schrieb. Wutentbrannt stand dort in großen Lettern: »Ich

spiele an diesem Theater! Noch in diesem Jahr! Und ich suche mir die Rolle selbst aus!«
Und damit auch jeder meine Empörung sehen konnte, pinnte ich diesen Zettel an meine Wand. Kurz, präzise und zielsicher. Und ich war überzeugt davon, dass es eintreffen würde.

Drei Monate später rief das Residenztheater an. Sie wollten, dass ich vorbeikomme. Was war geschehen? Michael Degen inszenierte Faust 1 und Faust 2 und wollte die Rollen nicht mit Schauspielern aus dem eigenen Haus, sondern mit neuen, frischen, unverbrauchten Leuten, mit Schauspielern wie ich einer war, besetzen. Ich sprach also bei ihm vor. Zuerst die Rolle des Theaterdirektors aus Faust 1.
Michael Degen schickte mich nach Hause und ließ mich drei Tage später die Rolle des Schülers vorsprechen. Und dann fragte er mich tatsächlich, welche Rolle mir besser gefiele und welche ich spielen wolle.
Ich bat mir Bedenkzeit aus und befragte meinen Vater. Der empfahl mir den Schüler zu spielen, eine klassische Rolle, die im Faust 2 richtig groß werden würde.

Und so kam es, dass ich noch im gleichen Jahr am Residenztheater in München spielte, in einer Rolle, die ich mir selbst ausgesucht hatte. Noch in derselben Woche saß ich beim Intendanten Kurt Meisel, der mir einen Dreijahresvertrag anbot. So lange jedoch wollte ich mich nicht an ein festes Haus binden. Ich hatte all die Kollegen gesehen, die erst am schwarzen Brett erfuhren, welche Rolle sie künftig zu spielen hatten. Dafür war ich einfach viel zu frei denkend.

Ohne es zu wissen, hatte ich bereits damals sehr genau und präzise gewünscht und dies mit einem Zettel an meiner Wand manifestiert. Für mich gab es keinen Zweifel daran, dass es so eintreffen musste.

Regel 3

Danken – der Turbo für erfolgreich wünschen

Haben wir unseren Wunsch zu Papier gebracht, beenden wir den Auftrag mit einem Dank. Dies ist ganz wichtig! Das Danken beinhaltet so viele positive Aspekte für unser *erfolgreich wünschen*, dass ich sie an dieser Stelle nur kurz streifen kann.

Das Gute vermehren

Mit dem Danken beginnen wir die Dinge in unserem Leben zu betrachten, die gut laufen. Wir lenken unser Augenmerk auf die wundervollen Ereignisse, die uns jeden Tag geschehen. Wir schenken ihnen Achtung und Anerkennung. Dadurch bereits erkennen wir, dass unglaublich vieles in unserem Leben schon vollkommen in Ordnung ist. Wir werden uns bewusst, wie viel wir bisher als etwas Selbstverständliches hinge-

nommen haben und wie viel Aufmerksamkeit wir dem wenigen schenken, das vielleicht noch nicht in Ordnung ist.
Wenn wir spontan eine kleine Liste schreiben, auf der alle die Dinge stehen, die in unserem Leben gut laufen, werden wir uns wundern, wie viel darauf steht. Oft ist es nämlich so, dass von zehn Dingen acht wundervoll laufen, wir aber immer nur auf die wenigen negativen Punkte starren. Natürlich wird dann der Mangel an Bedeutung gewinnen und alles Wunderbare sich immer mehr verlieren. Betrachten wir nämlich immer nur das, was uns nicht behagt, wird uns irgendwann das ganze Leben nicht mehr behagen.

Der ständige Blick auf unseren Mangel verstellt uns den Blick auf unseren Reichtum.

Vielleicht sehen wir einfach grundsätzlich zu viel auf das Negative. Oder leben zu stark im Vergleich zu anderen. Denn meist ist es nur der Vergleich, der uns unglücklich sein lässt. Seltsamerweise betrachten wir bei anderen nämlich immer nur die positiven Dinge und verfallen dabei selbst in Minderwertigkeitsgefühle, weil wir all das nicht ebenfalls haben können.

Die folgende kleine Übung mit der Liste hilft uns ziemlich gut, uns einmal selbst von außen zu betrachten.

Suche dir einen ruhigen Moment aus und setz dich entspannt hin. Konzentriere dich auf dich selbst. Betrachte dich mit einem Lächeln. Und ruf dir all die schönen Momente in deinem Leben in Erinnerung. Wie viel hast du bereits geleistet. Was hast du bereits alles geschafft. Wie vielen Menschen hast du bereits geholfen. Wer wurde durch dich schon alles glücklich. Betrachte dich erneut in diesen wundervollen Momenten deines Lebens. Betrachte sie ohne Wehmut. Zu all dem warst du bisher fähig. Das ist deine Kraft, dein Talent und dein Können. Dazu wirst du auch in Zukunft immer wieder fähig sein. All das kannst du immer wieder schaffen.
Und nun betrachte dich in deiner Umgebung. Betrachte deine Familie, deine Freunde, deine Verwandten. Du bist wichtig für sie. Weil du etwas in ihrem Leben bedeutest. Deine Liebe zu ihnen ist dein Reichtum. Du bist Halt und Vorbild für sie. Durch die Kraft deiner Worte, durch jede deiner Handlungen veränderst du auch ihr Leben. Durch dich schaffen sie vieles, das sie ohne

dich vielleicht nicht geschafft hätten. Ohne deine Ermunterung, deine Fürsorge und deine Liebe. Oft genug war es vielleicht sogar ganz allein nur deine bloße Anwesenheit.
Spüre die Dankbarkeit für die Möglichkeiten, die das Leben dir bisher geboten hat, Größe zu zeigen.

Und nun konzentriere dich auf die Momente, in denen deine Freunde und Bekannten und deine Familie dir bisher geholfen haben. Wie viele Menschen denken gut über dich? Wie viele lieben dich, auch wenn sie es nicht immer so zeigen können? Wie viel Kraft und Freude geben sie dir immer wieder? Wie oft kämpfen sie mit dir um die Wahrheit, weil du ihnen wichtig bist?

Und dann betrachte dich in deiner unmittelbaren Umgebung. Wie wundervoll hast du es, trotz manchmal schwerster Bedingungen, bis hierher geschafft. Sieh dich gedanklich um. Dies alles hast du aus dem Nichts erschaffen. Du bist Schöpfer deiner eigenen Welt. Betrachte dich voller Güte und Wärme. Das Leben beschenkt auch dich reichlich. Spüre wie wundervoll dies alles ist. Spüre deine Dankbarkeit.

Und nun öffne deine Augen und beginne all die wundervollen Dinge auf deine kleine Liste zu schreiben. Du wirst erstaunt sein, wie viel bereits in deinem Leben wundervoll läuft.

Und damit setzen wir einen Kreislauf der anderen Art in Gang. Statt immer nur über unsere Probleme zu grübeln, erkennen wir das Gute, das bereits in unserem Leben vorhanden ist. Je öfter wir die Übung machen, umso deutlicher erkennen wir die Dinge in unserem Leben, die uns zuarbeiten. Wir erkennen, dass das Leben bereits in vielen Bereichen im Fluss ist.

Durch Danken vermehrt sich das Wundervolle.

Worauf man sein Augenmerk richtet, dem führt man Energie zu. Durch das Danken vermehrt man all die guten Dinge, die es bereits in unserem Leben gibt, weil man ihnen noch mehr Energie zuführt. Das Leben wird immer wundervoller, weil man sein Bewusstsein auf das Schöne in seinem Leben ausrichtet. Dankbarkeit erfüllt das Herz. Dankbarkeit macht einen zu einer reinen Quelle von Energie. Je klarer und reiner die Energie ist, desto schneller und präziser können alle unsere Wünsche wirken.

In die Gegenwart ziehen

Der grundlegende Gedanke des Dankens ist aber nicht nur, sich mit dem Universum und dem Fluss des Lebens zu verbinden, sondern auch das gewünschte Ereignis in die Gegenwart zu verlegen.
In dem Augenblick, in dem wir danken, wird der Wunsch erhört und manifestiert sich bereits. Denn Danken verlegt den Wunsch in die Gegenwart.
Es ist vergleichbar mit dem Amen am Ende eines Gebetes. Amen heißt übersetzt: »Wahrlich, gewiss!« So ist es jetzt.
Die Energien von Gebet und Wunsch sind sich ganz ähnlich. In beiden Fällen rufen wir eine höhere Ordnung an und bitten um eine Lösung. Bei beiden besiegeln oder beschließen wir sie durch das Amen oder den Dank.

Den Glauben verstärken

Der Dank beseitigt auch alle Zweifel und Sorgen. Man glaubt an die Ausführung. Man ist sich

sicher. Wie im Alltag bedankt man sich auch nur für die Dinge, die bereits bestätigt sind. »Danke, dass du das für mich machst.«
Man bedankt sich also nur für das, bei dem man absolut sicher ist, dass es auch ausgeführt wird.
Mit dem Bedanken bestätigen wir unseren Auftrag. Der Wunsch ist besiegelt. Es ist wie die Unterschrift unter ein Dokument. Jetzt gibt es keinen Raum mehr für Zweifel. Das wirkt auch in den aussichtslosesten Situationen, wie Michaela und ich immer wieder erfahren durften.

Wie ich bereits erwähnt habe, haben Michaela und ich innerhalb eines Jahres zwei Autos gewonnen. Vom erstaunlichen Gewinn des Jaguars habe ich bereits erzählt. Und keine zwölf Monate zuvor war ein ganz ähnliches »Wunder« geschehen.

Der Wunsch nach einem Auto
Michaela hatte einen Unfall mit unserem alten Zweitwagen und wir verkauften die arg verbeulte Karre. Zu diesem Zeitpunkt musste ich allerdings jeden Tag zur Vorbereitung unseres

Filmes »Und das ist erst der Anfang« von Bonn nach Köln fahren. Wir brauchten also dringend einen zweiten Wagen für Michaela. Aber woher nehmen? Ganz einfach: wünschen. Anstatt uns über den Unfall zu ärgern, hießen wir die Veränderung in unserem Leben willkommen und waren bereit, ein neues Auto zuzulassen. Wie? Das sollte nicht mehr unser Problem sein.
Einige Wochen später, wir hatten den Wunsch schon längst wieder vergessen, waren wir in Köln bei einer Gala eingeladen und kauften artig Benefizlose, aber die Ziehung ließ endlos auf sich warten. Wir wurden schließlich müde, übergaben unsere Lose einem befreundeten Paar und fuhren nach Hause.
Am nächsten Morgen weckte uns der Freund. Er würde gleich vorbeikommen, eines unserer Lose hätte gewonnen, allerdings nur etwas Kleines, aber er wollte uns unseren kleinen Gewinn gerne persönlich übergeben
Wir waren gerade beim Casten in unserer Küche. Dort hatten wir eine kleine Kamera aufgebaut und Clelia Sarto sprach für eine Rolle in unserem neuen Kinofilm vor, als der besagte Freund bei uns auftauchte. Das Geschenk, das er hochhielt, war wirklich klein. Es war ein Schlüssel.

Ein Autoschlüssel. Der passende Wagen stand in der Halle der MCM Studios zum Abholen bereit. Michaelas Losnummer war in der Nacht tatsächlich als Hauptgewinn gezogen worden. Und das alles, ohne dass die Presse etwas davon erfahren hatte! – Es war fast gespenstisch, denn Michaelas geheimster Wunsch war es, selbst wenn sie einmal etwas Großes gewinnen würde, sollte niemand davon erfahren. Sie mag es nicht, wenn solche Dinge an die große Glocke gehängt werden.

Die Situation war wirklich nahezu grotesk. Als wir in der Halle eintrafen, waren die Handwerker bereits mit dem Abbau der Gala beschäftigt. Und inmitten des geschäftigen Treibens stand unser Auto, einsam, verlassen, vergessen und doch tatsächlich noch auf dem Präsentierteller. Niemand kümmerte sich um uns, als wir zum Wagen gingen. Es wurden keine Fragen gestellt, jeder war mit sich beschäftigt.

Wir zückten den Schlüssel, er passte. Mit klopfenden Herzen ließen wir den Wagen an. Der Motor schnurrte wie eine Eins. Michaela konnte ihr Glück gar nicht fassen. Wir stopften die ganzen Glückwunschluftballons ins Auto und fuhren an Handwerkern und Baumaschinen,

mitten im größten Tumult, unbemerkt aus der Halle. Michaela fühlte sich zutiefst dankbar und vom Universum angenommen.
Ein paar Tage später wurden uns die Papiere zugeschickt. Dieses Auto fahren wir übrigens immer noch, derzeit ist es sogar unser einziges.
Unser Wunsch war also wieder einmal auf wundervollste Weise erfüllt worden. Wir waren glücklich. Natürlich, wer wäre das nicht? Aber genau genommen war einfach nur das eingetreten, was wir uns gewünscht und dadurch in unser Leben gezogen hatten. Unglaublich, aber doch so einfach.

Probleme einfach abgeben

Das Danken bietet noch einen weiteren Vorteil. Das Danken bekräftigt, dass man die Suche nach der Lösung seines Problems endgültig abgegeben hat.
Das Wundervolle am *erfolgreich wünschen* ist, dass wir unsere Sorgen und Probleme einfach »anderen« überlassen können und dies mit dem Dank bekräftigen.
»Lieber Kosmos, liebe Engel, lieber Gott oder wer auch immer dafür zuständig ist, bitte kümmert

Euch darum und lasst mich wissen, wenn ich etwas tun kann. Aber ich erwarte klare Zeichen. Denn ich tue jetzt das, was Euch am liebsten ist. Ich lasse es mir gut gehen. Ich danke Euch für Eure Hilfe.«

Ab sofort brauchen wir uns auch nicht mehr damit zu beschäftigen. Denn das würde ja ansonsten heißen, ich zweifle an denen, die ich damit beauftragt habe. Wenn wir unsere Probleme wirklich abgegeben haben, wissen wir, man kümmert sich darum, und wir können den Tag wieder gut gelaunt genießen.

Probleme abgeben statt wälzen.

Das ist genau das, was ich seit Jahren mit meinen Sorgen mache. Ich gebe sie einfach ab. Ich grüble nicht mehr, ich rede nicht mehr ständig mit mir selbst oder in Gedanken mit anderen, ich überlege mir keine Varianten und Alternativen, ich wälze keine Probleme hin und her, ich versuche nicht verstandesmäßig eine Lösung zu erzwingen. Ich gebe einfach ab. Und erst dann, wenn ich einen Impuls bekomme in Aktion zu treten, tue ich es. Und siehe da, es ist meist das Richtige.

Das »*Problemabgeben*« habe ich übrigens auch erst lernen dürfen.

Als ich über Nacht verlassen wurde

Vor vielen vielen Jahren war ich völlig überraschend in tiefste Verzweiflung gestürzt worden. Meine damalige Partnerin, mit der ich fünf Jahre zusammengelebt hatte, hatte einen anderen Mann kennen gelernt. Sie wollte mit ihm zusammensein. Sie verbrachte ihre Tage und Nächte mit ihm und ich befand mich im tiefsten Unglück. Ich aß nichts mehr und konnte vor lauter Liebeskummer nicht mehr richtig schlafen. Mir zerriss es das Herz. Ich weinte, ich tobte, ich verzweifelte.

Darüber hinaus berichtete die Presse ausgiebig vom neuen Liebesglück der beiden und betrachtete mich als Verlierer, als das unnötige fünfte Rad, als Versager, der die neue Liebe nur stören würde. Innerlich tief verwundet, in der Öffentlichkeit bloßgestellt, erreichte ich meinen Tiefpunkt.

Da fiel mir nach einer Woche ein Buch in die Hände, in dem unter anderem dieses Gebet stand:

Herr, gib mir die Gelassenheit
Dinge hinzunehmen,
die ich nicht ändern kann,
den Mut, das zu ändern,
was ich ändern kann.
Und die Weisheit,
das eine vom anderen zu unterscheiden.

Ich las es eher nebenbei. Was konnte mir schon ein Gebet in meiner Situation helfen?!
Am nächsten Morgen, nach zehn Tagen tiefster Verzweiflung, sprach ich dieses Gebet erneut, so in Gedanken vor mich hin. In meiner Erschöpfung gab es nichts mehr festzuhalten, nichts mehr zu kämpfen. Meine Freundin wollte mit diesem anderen Mann leben, es gab nichts mehr zu ändern.
Ich gab auf. Ich war geschlagen. Ich ergab mich völlig.
Da begannen die achtlos gesprochenen Worte plötzlich ein eigenes Leben zu entwickeln. Ich war beseelt. Als hätte jemand einen Lichtschalter angeknipst, war ich erfüllt, von tiefstem Vertrauen durchflutet. Ich begann in meiner Wohnung zu tanzen, zu singen, mir etwas zu kochen, in meinem tiefsten Unglück war ich

glücklich. Die Glückserfahrung war so gewaltig, dass mir vor Freude immer wieder Tränen in die Augen traten.
Dieser Zustand hielt fast ein Jahr lang an. Vom tiefen Glück durchdrungen erlebte ich die Welt völlig neu, völlig anders. Erfüllt von diesem Getragensein, von der Verbundenheit mit dem Universum, oder Gott, oder meinem höheren Selbst, oder wie immer man das auch nennen möchte, war ich durch und durch glücklich. Alles war unwesentlich und wesentlich zugleich.

Meine Freundin kehrte zu mir zurück. Sie spürte die Kraft, die von mir ausging. Doch ich fand die ursprüngliche Liebe zu ihr nicht mehr. Ich empfand Fürsorge und Achtung, ich lernte zu vergeben und eigene Fehler anzuerkennen. Vor allem aber lernte ich die Liebe zu mir zuzulassen und sie in jede Handlung einfließen zu lassen.
Die Presse bot mir an, ausführlich über meine Sicht der Dinge zu berichten, sie boten mir Rehabilitierung an, aber es war plötzlich nicht mehr wichtig. Ich war glücklich und erfüllt. Nein, die öffentliche Meinung war nicht mehr wichtig für mich. Wer die Wahrheit sehen wollte, würde sie sehen. Mein Verstand hätte sicherlich etwas

anderes gesagt, aber ich fragte mein Gefühl, meine Intuition und bin seit diesem Tag prächtig damit gefahren.

Erst viel später wurde mir bewusst, was mein Glücksgefühl ausgelöst hatte: Ich hatte meine Sorgen einfach abgegeben. Alle Last war von mir abgefallen. Von diesem Moment an konnte ich mein Leben frei und ungezwungen neu gestalten. Ich konnte mein Leben genießen. Es gab nichts, was ich erzwingen musste. Für mich wurde doch gesorgt.
Warum sich über etwas bekümmern, was man nicht ändern kann? Verlorene Liebesmüh und Verschwendung von Energie.
Ich konnte all meine Energie für die Gestaltung des Schönen in meinem Leben verwenden.

Durch dieses Erlebnis erfuhr ich, dass die meisten Probleme seltsamerweise nur in unserem Verstand welche sind. Denn fast immer hat sich das, was ich zunächst als negativ empfand, später als zu meinem Besten herausgestellt.
Egal ob es die verpasste Straßenbahn war, das abgelehnte Drehbuch oder die Zurückweisung meiner Partnerin. Dahinter wartete stets etwas

Größeres und hat mich zu einem neuen phantastischen »Wunder« geführt.

Alles geschieht zu meinem Besten.

Das ist die tiefe Gewissheit, die ich seitdem habe. Alles Unangenehme, »Negative«, ist nur eine Korrektur, die mich wieder zurück zu meinem Weg ins Glück führt.

Durch das Drama der Liebe wurde ich wieder frei für eine andere Partnerin und habe auf diese Weise Michaela kennen gelernt. Das größte Glück in meinem Leben.

Regel 4
Den Verstand überzeugen

Aus unserer Kindheit haben wir gelernt, wie wir einen Wunsch am ehesten erfüllt bekommen: betteln, quengeln und so lange schreien, bis wir den Lutscher endlich bekommen.
Beim Wünschen aber läuft es genau umgekehrt: Wir betteln nicht, wir weisen nicht darauf hin, was uns alles fehlt und wie unglücklich wir deswegen sind – ganz im Gegenteil:

Wir wissen,
dass wir das bekommen, was wir wünschen,
dass es uns zusteht und
dass es immer zur Verfügung steht.

Das bedeutet für die meisten von uns erstmal umdenken: Wieso steht alles immer zur Verfügung? Warum funktioniert das Wünschen überhaupt?
Ich habe bisher das Bild vom Universum als einem riesigen Versandhaus benutzt, nun wollen wir uns

ein wenig mit den physikalischen Hintergründen beschäftigen, damit auch unser Verstand davon überzeugt ist, dass unsere Wünsche tatsächlich erfüllt werden.

Keine Sorge, schwierig wird das nicht, nur spannend. Das meiste davon haben wir schon im Physikunterricht gehört, damals war es vielleicht trockener Lernstoff, der keinen Bezug zu unserem Leben hatte. Nun erhalten die Fakten ein neues Leben. Miteinander verbunden ergeben sie ein völlig neues Bild der Wirklichkeit. Also nur Mut, lassen Sie sich ein auf diese Reise in die Welt jenseits des Sichtbaren. Für unseren Verstand ist diese Reise unerlässlich, damit *erfolgreich wünschen* für ihn »verständlich« wird und er unsere Bemühungen künftig unterstützt.

Ein bisschen Physik

Alles ist Energie. Es gibt nichts anderes als Energie. Auch Materie ist reine Energie. Auch wir Menschen bestehen ausschließlich aus Energie. Ebenso sind Gedanken, Gefühle, Emotionen, Ereignisse und Situationen nur verschiedene Erscheinungsformen von Energie.

Woraus besteht dann Materie? Aus winzig kleinen Teilen, die man Atome nennt. Die Gegenstände unterscheiden sich grundsätzlich nur dadurch, aus welchen Atomen sie zusammengesetzt sind und wie diese angeordnet sind. Alle Materie auf dieser Welt ist nur aus diesen Atomen zusammengebaut. Atome binden sich an andere Atome, gehen größere Zusammenhänge ein oder trennen sich wieder.

Atome lassen sich in noch kleinere Elementarteilchen aufteilen, im Wesentlichen in Protonen, Neutronen und Elektronen. Wir können uns das vereinfacht so vorstellen: Zwischen den Protonen und Neutronen, die den Atomkern bilden, und den Elektronen, die auf Kreisbahnen darum kreisen, ist viel leerer Raum. Unvorstellbar aber wahr: Wäre der Kern eines Atoms so groß wie eine Erbse, wäre die Elektronenhülle 170 Meter entfernt. Das meiste, was wir also »sehen«, ist nur Leere. Dennoch nehmen wir es als Materie wahr. Wir nehmen es jedoch nur so wahr, in Wirklichkeit ist es nicht so.

Nichts ist so, wie wir es sehen.

Wir nehmen nur die verschiedenen Schwingungen auf und verarbeiten die Informationen in unserem Gehirn zu einer festen Vorstellung. Wir »übersetzen« sie. Nachdem fast alle Menschen sie ganz ähnlich übersetzen, zumindest nehmen wir das an, »sehen« und »spüren« wir die Dinge auch ganz ähnlich.
Farben zum Beispiel existieren so, wie wir sie wahrnehmen, in Wahrheit gar nicht. Schwingungen gelangen in unser Auge, werden dort in elektrische Impulse umgewandelt und unser Gehirn produziert das, was wir »sehen«. Die unterschiedlichen Farbfrequenzen erzeugen sogar Gefühle in uns, sie bringen etwas in uns zum Schwingen. Daher empfinden wir manche Farben als kalt oder warm, obwohl das Material selber immer die gleiche Temperatur besitzt.
Alles besteht also aus Atomen, diese wiederum aus Elementarteilchen und diese sind wiederum eine enorme Ansammlung von Energie.
Erst wenn wir verstehen, dass jeder Gegenstand dieser Erde, jeder Mensch und jede Situation nur Energien in verschiedenen Formen sind, können wir begreifen, auf welche Weise wir Materie beeinflussen können.

1933 beobachteten die Physiker Marie und Pierre Curie wie Materie aus dem »Nichts« entstehen kann. Sie entdeckten wissenschaftlich, dass sich Energie in Masse umwandeln lässt.

Hier kommt nun für unser *erfolgreich wünschen* ein ganz wichtiges Element mit ins Spiel: Energie lässt sich lenken, und zwar durch Gedankenkraft. Unsere Gedanken sind so etwas wie eine Laserpistole, die die Energie auf einen Punkt richten kann. Das Licht einer Glühbirne und das eines Lasers unterscheiden sich im Wesentlichen dadurch, dass das eine diffus ist, die Photonen schwirren in alle Richtungen, und das andere gerichtet. Genauso lenkt unsere Gedankenkraft die immer und überall vorhandene Energie, so dass sie sich in einer bestimmten Form verdichtet.

- Nichts ist so, wie wir es sehen.
- Materie ist Energie, entsteht durch Energie und wird durch Energie in ihrem Zustand gehalten.
- Keine Energie, keine Materie.
- Energie kann gelenkt werden.
- Jeder Gedanke ist reine Energie und wirkt seinerseits auf die Energie ein.

Wenn Energie Materie entstehen lässt und Gedanken pure Energie sind, entstehen um uns herum ständig Dinge, die wir materialisieren. Denn schließlich denken wir ständig. Um nun konkret unsere Wünsche in unser Leben zu ziehen, müssen wir nur folgende Dinge tun:

- Die Kraft der Gedanken nutzen.
- Uns resonanzfähig für das machen, was wir uns wünschen.

Dafür machen wir uns zwei Gesetze zunutze.

1. Das Gesetz der Energie-Erhaltung
Es gibt ein physikalisches Grundgesetz, auf dem sich unser gesamtes Leben aufbaut. Es besagt, wie wir bereits gehört haben, dass jede manifestierte Erscheinungsform aus Energie besteht und sich in eine andere Form umwandeln lässt. Es besagt aber auch, dass Energie niemals verloren gehen, sondern sich nur wandeln kann. Sie kann sich verändern, sich transformieren, aber niemals »in Luft« auflösen.
Der Naturphilosoph Demokrit (460 – 371 v. Chr.) entdeckte, dass nichts auf dieser Welt wirklich verschwinden kann, sondern sich immer nur

verändert. Auf diese Theorie stützt sich unsere heutige Physik.

Was bedeutet dies nun für unser *erfolgreich wünschen*?
Genauso wie Materie sich in andere Formen umwandeln kann oder in für uns unsichtbare Energie, so kann sich auch eine zuerst unsichtbare Energie zu Materie verwandeln. Und diese Umwandlung der Formen können wir beeinflussen.
Es ist immer nur die Energie, die neue Formen schafft. Energie wird durch Bewusstsein gelenkt und gehalten.

Was wir denken, materialisiert sich.

Das kann auch das scheinbar Unmögliche sein. Wie zwei Autos innerhalb eines Jahres zu gewinnen, die große Liebe seines Lebens zu finden, den richtigen Job, die ideale Wohnung oder auch nur eine gebrauchte Waschmaschine.

Denn jeder Wunsch ist Energie. Er wird ausgesandt und will sich konkretisieren, sich also in Materie wandeln. Je intensiver die Gedanken sind, die ausgesandt werden, desto kraftvoller ist die Energie. Je stärker emotional geladen sie sind, desto mehr Schubkraft erhalten sie.

Leider ist das auch im Negativen so. Auch negative Gedanken wollen sich verfestigen. Der Energie ist es egal, was wir denken. Sie unterscheidet nicht zwischen gut und schlecht, sie kennt keine Moral und bewertet auch nicht. Der Energie ist es egal, zu was sie sich formt. Sie tauscht Formen einfach nur aus. Sie gehorcht dabei dem Grundsatz:

Energie folgt immer der Aufmerksamkeit.

Sind wir unglücklich, senden wir sehr oft negative Gedanken in den Kosmos.
»Ich bin so unglücklich.« »Mir geht es so schlecht.« »Niemand liebt mich.« »Ich bin zu bedauern.« »Es ist alles hoffnungslos.« – All das sind energetische Befehlssätze für das Universum. Unser Unglück wird sich verstärken.
Das gleiche Prinzip kann aber auch für uns arbeiten. – Die gedankliche Energie wird ausgesandt und verdichtet sich. Verschiedene Energien finden sich zusammen, Menschen

schnappen sie auf, halten sie für eigene Ideen, basteln und arbeiten daran und plötzlich stehen der gewünschte Partner, das erhoffte Ereignis oder der lang ersehnte Gegenstand vor der Tür. Alles nur eine Form von Energie.

Genau genommen gibt es in unserer Welt ein unglaubliches Angebot von allem. Es ist lediglich eine Frage der Verteilung. Es ist alles da. Für jeden. Auch für uns. Es ist nur eine Sache von Angebot und Nachfrage. Je nachdem, was wir energetisch nachfragen, wird es so verteilt oder gebaut, dass es in unser Leben eintritt.
Leben wir in einer Welt des Mangels, haben wir eben diesen Mangel bestellt. Was wir bekommen ist das Erleben von Mangel, während unser Nachbar vielleicht im Reichtum schwelgt, weil er ganz einfach nur nach Reichtum in seinem Leben gefragt hat.

Haben wir erst einmal verstanden, dass es von allem alles gibt und unsere Wirklichkeit sich nur danach richtet, wonach wir fragen, so wird sich unser Leben komplett anders gestalten. Denn die Energie kann jede Form annehmen.

Alles ist im Überfluss vorhanden, doch verteilt wird es nur nach Nachfrage.

Wünschen ist nichts anderes als eine gigantische energetische Tauschbörse.
Gesucht – gefunden. Wir geben Energie, wir empfangen Energie. Wir bauen unsere Welt nach unserer Vorstellungswelt. Wir formen, wir verdichten, wir behindern oder zerstören. Energie ist immer da und wir können sie nach unserem Willen formen oder unserem Wunsch entsprechend zu uns ziehen.
Hier kommt nun das Gesetz der Resonanz ins Spiel.

2. Das Gesetz der Resonanz

Es besagt, dass Gleiches immer Gleiches anzieht. Ungleiches dagegen stößt sich ab. Gleiches wird durch Gleiches sogar verstärkt. Es resoniert. Wir kennen das vom Klavier. Schlägt man eine Saite an, beginnen die gleichgestimmten Saiten ebenfalls zu schwingen, während andere, auf eine andere Frequenz gestimmte Saiten davon vollkommen unberührt bleiben.

Unsere Gedanken sind ebenfalls Energien, die auf einer ganz bestimmten Frequenz schwingen. Was immer wir also denken, wir bringen Gleichschwingendes in Bewegung.
Dies funktioniert natürlich auch umgekehrt. Alles, was dort draußen in der Welt mit unseren Gedanken gleich schwingt, bringt auch uns in Bewegung. Unsere Gedanken sind wie unsichtbare Magnete, die all das anziehen, was ihnen ähnlich ist.

Warum bekommen gerade die, die bereits am meisten haben, noch mehr? Weil sie so denken. Weil in ihrer Gedankenwelt nichts anderes existiert. Weil sie in der Schwingung von Reichtum leben.

Erfolg zieht Erfolg an,
Unglück immer noch mehr Unglück.

Wenn wir verliebt sind, läuft zusätzlich zu unserem Liebesglück auch noch alles andere besser. Natürlich, weil wir die Welt mit positiven Augen betrachten. Positive Gedanken erschaffen eine positive Welt. Alles scheint uns nun zu gelingen. Unsere Sätze lauten nun. »Ich bin so glücklich.«

»Die ganze Welt liegt mir zu Füßen.« »Alles geht gut.«
Und tatsächlich, die Welt liegt uns wirklich zu Füßen, weil der Kosmos auch diese Sätze auffängt und bearbeitet.
In dem Moment jedoch, wo wir unsere Meinung ändern und uns nicht mehr von Liebe getragen fühlen, betrachten wir die Welt kritischer und unsere Wunschsätze lauten nun ganz anders. »Er liebt mich nicht.« »Sie betrügt mich bestimmt.« »Mich kann man auch gar nicht lieben.« »Ich bin nicht schön.« »Ich fühle mich klein und hässlich.« »Die ganze Welt ist gegen mich.«
Und entsprechend der Veränderung unserer Wunschsätze wird sich innerhalb kurzer Zeit das Erleben komplett ändern. Man bekommt die Bestätigung seiner Gedanken, ohne zu wissen, dass man selbst der wahre Verursacher ist. Wenn wir uns einmal einen Tag lang beobachten, können wir feststellen, wie viele solcher Befehlssätze wir doch fast ständig innerlich aussprechen.

Schwingung ist Schwingung und resoniert mit unseren Gedanken und Einstellungen. Das gilt natürlich für alle Bereiche. Ob positiv oder negativ.

Schwingt etwas vollkommen anders als wir, werden wir es überhaupt nicht wahrnehmen. Was aber nicht bedeutet, dass es das für andere Menschen ebenfalls nicht gibt oder dass es generell nicht existiert.

Ein bisschen Biologie dazu

»Ich glaube nur, was ich wirklich sehe«, »Energie, Schwingung – das musst du mir erst mal zeigen«, diese und ähnliche Sätze bekommen wir immer wieder von den eingefleischten »Realisten« zu hören. Der Witz daran ist, sie sind auch noch stolz darauf. Wieso das ein Witz ist und was wir unserem eigenen Verstand erklären können, wenn er uns gelegentlich mit solchen Sprüchen verunsichert, erfahren Sie bei diesem Ausflug in die Biologie.
Tatsache ist, wir können nur den kleinsten Teil der Wahrheit, die uns umgibt, mit unseren Sinnesorganen erkennen.

- Mit unseren Augen können wir nur acht Prozent des vorhandenen Lichtspektrums sehen.

Wir können die Wahrheit nicht erkennen.

Das heißt, 92 Prozent der Wirklichkeit verschließen sich vor unseren Augen. Und bei den anderen Sinnesorganen sieht es noch schlechter aus. Obwohl wir wissen, dass es diese 92 Prozent gibt, tun wir so, als wären sie gar nicht vorhanden. Und das nur, weil wir sie nicht wahrnehmen können. Wir vertrauen unserer Wahrnehmung also mehr als der tatsächlichen Wirklichkeit.

Halten wir einmal fest, unsere »Wahr«-nehmung ist so wahr gar nicht. Es gibt eine Geschichte dazu, die das gut veranschaulicht: Einige Blinde berühren einen Elefanten. Derjenige, der ein Bein berührt, sagt: »Ein Elefant ist rund und hart«, ein anderer berührt den Rüssel und meint: »Ein Elefant ist dünn und fliegt ständig hin und her«. Genauso bilden wir uns ein Bild: Das wenige, was wir wahrnehmen, ergänzen wir zu einem eigenen Bild und sind dann davon überzeugt, das sei die Wirklichkeit.
Und nach welchen Kriterien formen wir das Bild?
Nach dem, was wir bereits kennen!

Wie verhält es sich nun mit den Dingen, die wir zumindest dank unserer Sinne erkennen könnten? Wie gehen wir also mit den »wenigen« acht Prozent um, die wir wahrnehmen können? Nehmen wir sie wirklich alle auf?

**Was wir nicht »wahrnehmen«,
existiert für uns nicht.**

Auch wenn es nur acht Prozent der Wirklichkeit sind, so sind dies trotzdem noch Millionen von verschiedenen Einflüssen pro Tag. Töne, Geräusche, Bilder, Gedanken, Gespräche, Musik, Lärm, wir reagieren auf Gefahr, Emotionen, Hektik und Schnelligkeit, beantworten Briefe, Telefonate, E-Mails, fällen Entscheidungen für uns und andere, lesen Bücher, Illustrierte, Fachmagazine, werden bombardiert mit Werbung, erleben Enttäuschungen und Zurückweisungen und interagieren mit anderen Menschen.
Informationen über Informationen müssen täglich bearbeitet werden. Über die allerwenigsten können wir uns wirklich Gedanken machen. Denn sich über etwas Gedanken zu machen, bedeutet sich Zeit dafür zu nehmen. Aber gerade Zeit ist das, was wir nur begrenzt haben.

Aus diesem Grund will und kann der Verstand nicht alles bearbeiten, das würde schlicht seine Kapazität sprengen.
Deswegen schaltet er für viele Dinge einfach ab. Hauptsächlich sind dies Dinge, die er bereits kennt und die ihm vertraut sind. Warum sollte er bei jedem herannahenden Auto auf Alarm schalten? Das meiste, was wir kennen, wird also ganz selbstverständlich und unbewusst ausgeblendet, damit wir genügend Zeit für die Dinge finden, die uns wichtig sind.

Steht man zum Beispiel an einer Bushaltestelle wird man mit Sicherheit später nicht mehr sagen können, wie viele Autos vorbeigefahren sind. Es war einfach nicht wichtig genug, um sich damit zu befassen. Ebenso nicht, welche Personen wann ein- oder ausgestiegen sind oder wie viele Passanten die letzte Ampel überquert haben.
Vielleicht haben wir unsere Wahrnehmung auf die Zeitung fokussiert oder waren in Gedanken noch bei unserem Partner oder bereits beim zukünftigen Meeting im Büro.

Wir nehmen immer nur einen kleinen Teil der erfassbaren Welt bewusst wahr.

Und zwar den, den wir für uns als wichtig und richtig erachten. Unbewusst nehmen wir pro Sekunde ca. *11.000 Eindrücke* auf und speichern sie in unserem Gehirn, ohne dass wir etwas davon wissen. Bewusst nehmen wir pro Sekunde nur *neun Eindrücke* wahr. Das bedeutet, unser Unterbewusstsein speichert unzählige Dinge, von denen wir gar nichts wissen. Bewusst nehmen wir nur ein Tausendstel der auf uns einströmenden Dinge wahr.

- Von den acht Prozent aller Dinge nehmen wir abermals nur ein Tausendstel bewusst wahr und halten dies für die allumfassende Wahrheit.

Die Realität, die wir erleben, ist also verschwindend klein im Vergleich zu der Realität, die uns insgesamt umgibt. Wir können die Welt nicht in ihrer ganzen Fülle wahrnehmen. Wir entscheiden uns jeden Tag tausendfach, bewusst und vorwiegend unbewusst, worauf wir unsere Wahrnehmung lenken. Alles andere existiert für uns nicht.
Haben wir gewisse Dinge lange genug aus unserem Leben ausgeblendet, glauben wir nicht einmal, dass sie für andere existieren können.

Das ist aber nicht die Wahrheit! Das ist nur der Versuch des Verstandes, sich aus drei Mosaiksteinchen ein Bild zu basteln. Die weiteren tausend ebenfalls herumliegenden Mosaiksteinchen nimmt er nicht wahr, sie passen nicht ins Bild. Auf diese Weise bestätigt er sich selbst, dass seine Wahrnehmung richtig ist und spiegelt uns vor, dass es nichts anderes gibt als das, was wir erleben.

»Ich habe nicht das geringste Molekül Zuversicht, dass es eine andere Luftschifffahrt geben wird, als die mit einem Ballon.«

(Lord Kelvin, Physiker)

Was aber tun, wenn wir ein facettenreicheres Bild haben wollen, wenn wir in einer bunteren Wirklichkeit leben möchten, die uns mehr Möglichkeiten bietet? Wenn wir eine andere Realität in unser Leben einladen wollen?
Das Erste ist, uns bewusst zu machen, dass es tatsächlich mehr gibt, als wir bisher wahrgenommen haben. Der Verstand nimmt neue unbekannte Dinge erst dann in tiefere Schichten auf, wenn er sie mindestens dreimal gehört oder gelesen hat. Daher ist es für den Verstand gut

und wichtig dieses Kapitel des öfteren zu lesen. Das hilft ihm, sich aus seinen eingefahrenen Denkmustern zu lösen.
Das Zweite ist, unsere Aufmerksamkeit auf die gewünschten Bereiche zu lenken. Wir müssen also andere Gedanken zum Schwingen bringen, damit sich in unserem Leben anderes, Neues ereignet.

Die Schwingungsfrequenz erhöhen

Das ist wie das Verstellen eines Senders im Radio. Wir drehen ein bisschen an unserer eigenen Frequenz, mit der wir Dinge hereinlassen.
Aber wie machen wir das?
Wir können zum Beispiel unsere Schwingung erhöhen, indem wir an schöne Dinge denken oder heilige Namen intonieren. Allein das Singen des heiligen Wortes OM oder das Wiederholen von positiven Affirmationssätzen hebt unsere gedankliche Schwingung in Bereiche, die wir bisher nicht kannten, und lässt damit auf der Ebene der äußeren Erscheinungswelt scheinbar Unerreichbares in unser Leben treten.
Positive Gedanken haben ebenfalls eine höhere Schwingung als negative.
Positive Wünsche auszusenden ist jedenfalls

ebenso ein Drehen am Sender. Man wird wacher für die Dinge, die es bisher nicht in unserem Leben gab, die aber genauso im Angebot dort »draußen« herumschwirren.
Sofern man sich nicht auf die gewünschte Frequenz einlässt, kann man sie nicht wahrnehmen. Man kann sie weder hören, anfassen noch in sein Bett einladen. Möchte man *erfolgreich wünschen*, muss man sich auf das Neue einlassen, sonst kann man es nicht wahrnehmen.
Tatsache ist, wenn wir etwas lange genug in unserem Bewusstsein halten, ist es gezwungen sich in der äußeren Welt zu materialisieren. Unser Bewusstsein ist aber leider nicht die einzige Instanz, die regelmäßig Energie aussendet. Wir haben einen noch viel beharrlicheren Anteil in uns, der ebenfalls beständig Wünsche ausspricht.
Und daher wollen wir uns nun mit folgender Frage befassen:

Was genau hält man ständig und immer wieder in seinem Unterbewusstsein?

Womit filtert man unbewusst seine Wünsche? Gibt es einen inneren Boykotteur?

Glaubenssätze

Wenn Wünsche nicht eintreffen, gibt es meist einen zweiten Wunsch, der stärker ist als der erste. Dieser zweite Wunsch arbeitet dann mit Sicherheit gegen den ersten. Und zwar dauerhafter und mit einer wesentlich größeren Überzeugung.
Wie sieht das denn meistens aus, wenn wir uns etwas wünschen? Beobachtet man seine Wunschpraktik einmal genauer, erkennt man, dass man sich vielleicht zehn Minuten am Tag mit seinem Wunsch beschäftigt. Man bekräftigt ihn, man stellt ihn sich vielleicht auch vor seinem geistigen Auge vor, visualisiert ihn also, und geht dann wieder zum Alltag über.
Aber die restlichen 23 Stunden und 50 Minuten glaubt man, dass es sowieso nicht funktioniert, dass alles nur Humbug ist und einem die Erfüllung des Wunsches genau genommen sowieso nicht zusteht. Man ist doch ein Verlierer. Glück haben immer nur die anderen.
Welcher Wunsch hat wohl mehr Kraft? Welcher Wunsch ist wohl dauerhafter und kraftvoller?

Oft sind die Gedanken im Bewusstsein und die Überzeugungen im Unterbewusstsein sehr

verschieden oder einander sogar entgegengesetzt. Selbst wenn die Wunscherfüllung dann in greifbare Nähe gerückt ist, wissen wir mit dem Geschenk nichts anzufangen, die Chance verstreicht ungenutzt.
Es ist dann so, dass man sich etwas intensiv wünscht, aber innerlich gar nicht bereit ist, es auch anzunehmen. Die Sehnsucht geht in eine bestimmte Richtung, aber in Wahrheit sind wir überhaupt nicht fähig, die neue Rolle auch wirklich auszufüllen.
Mir jedenfalls ging es so.

Meiner Entwicklung um Jahre voraus

Bereits vor 20 Jahren hatte ich den tiefen Wunsch zu schreiben. Aber was? Wer würde sich dafür interessieren, was ich mitzuteilen hatte? Ich wusste also nicht genau, worüber ich schreiben sollte und auch nicht für wen. Aber ich hatte den Wunsch. Klar und deutlich. Ich wollte, dass ein Buch von mir erscheint. Ich sprach den Wunsch aus, bedankte mich und vertraute.
Einige Wochen später stand ich spät nachts in einer Disco in Berlin an der Bar. Aus heiterem Himmel drehte sich ein Mann zu mir um und sprach mich an. »Sie werden schreiben. Und

zwar für mich.« Ich verstand nicht, was dieser Mensch von mir wollte und lachte einfach nur. Aber er blieb völlig unbeirrt. »Sie werden etwas schreiben, was nur Sie schreiben können. Und ich werde es verlegen.«
Er reichte mir seine Karte. Er war tatsächlich Verleger. Und zwar von einem der größten Verlagshäuser. »Sie wissen doch gar nicht, ob ich schreiben kann«, erwiderte ich. »Oder ob ich überhaupt schreiben will.«
»Hätte ich Sie sonst angesprochen?«, fragte er mich lächelnd. »Sie werden etwas schreiben, und zwar etwas, was sehr tief gehen wird. Wenn Sie soweit sind, rufen Sie mich an.«
Ich war geschockt. Mein Wunsch hatte sich erfüllt. Ohne eine Zeile geschrieben zu haben, hatte ich bereits einen Verleger.
Aber ich war überhaupt noch nicht bereit dazu. Vor lauter Angst nicht genügen zu können, habe ich ihn natürlich nicht angerufen. Ich habe nicht eine einzige Zeile geschrieben.
Stattdessen hatte ich ungeheuren Zoff mit meiner Freundin. Sie brach in Tränen aus, weil ich endlich meine Bestimmung getroffen hätte und sie selbst nicht. Für mehrere Wochen belagerte sie mich mit ihrem Neid und ihrer Eifersucht

und ich rauschte in meine Minderwertigkeit. Ich konnte doch gar nicht schreiben.
Die Erfüllung meines Wunsches hatte mir also nur Ärger gebracht. Anstatt zuzugreifen, verkroch ich mich dorthin, wo ich Erfolg hatte: auf die Bühne und sprach die Texte anderer Autoren. Gleichzeitig hatte ich das niederschmetternde Gefühl, nicht zur rechten Zeit zugegriffen zu haben. Ich fühlte mich als Versager.
Und alles nur, weil ich mir etwas gewünscht hatte, das ich noch überhaupt nicht ausfüllen konnte.

Mein Wunsch hatte sich erfüllt, aber ich konnte die Chance nicht ergreifen, weil tief in meinem Inneren ganz andere Überzeugungen abliefen. »Ich kann nicht schreiben. Das interessiert doch niemanden. Ich mache mich nur lächerlich. Ich bin ein Großmaul. Ich bin ein Scharlatan. Wenn ich mich wirklich zeige, wird jeder sehen, dass ich nichts kann.«

Die Welt entsteht durch Gedankenkraft. Immer und immer wieder neu. Jeden Tag und jede Nacht.

Wir müssen also nur überprüfen, was wir denken. Welche gedanklichen Programme laufen wirklich ab, damit sich unser Leben so gestaltet, wie wir es gerade erleben? Nicht immer ist es wirklich einfach, alle eigenen Programme aufzuspüren. Viele laufen eben völlig unbewusst ab.
Was sind das nun für Programme? Am leichtesten erkennen wir sie an unseren Einstellungen und Meinungen zum Leben. Die stärksten Programme arbeiten durch unseren Glauben. Welche Glaubensmuster haben wir?

Glaubensmuster erkennen

Seit unserer Kindheit blenden wir unzählige Dinge aus unserem Leben aus. Wir übernehmen die Vorstellungen unserer Eltern und Großeltern, unserer Geschwister und Lehrer. Wir wachsen in deren Welt auf. Alles was wir von ihnen gelernt haben, so wie sie uns behandelten, was sie zu uns sagten, und natürlich auch, wie sie mit sich selbst und anderen umgingen, wie sie Probleme lösten, wie sie ihre Partnerschaft führten und wie sie

der Welt entgegentraten, all das hat uns intensiv geprägt. Ohne diese Dinge zu hinterfragen oder sie auf ihren Wahrheitsgehalt hin zu überprüfen, haben wir sie für uns übernommen.
Seitdem beschränken wir unsere Wahrnehmung auf die Dinge, die wir glauben. Und weil nur das, was wir wahrnehmen, für uns wahr ist, fühlen wir uns in unserem Glauben bestärkt. Was ich glaube, verwirklicht sich. Was ich nicht glaube, kann in meinem Leben nicht stattfinden. Tatsache ist, dass man sich durch seinen Glauben selbst von der Fülle des Lebens abschneidet.

Glaubenssätze sind Befehlssätze.

Wir leben in einem Kreislauf von sich ständig wiederholenden Erlebnissen, weil wir sie permanent durch unsere begrenzenden Gedanken erschaffen. Wir bauen uns unsere Welt nach unserem Glauben. Wir fühlen uns bestätigt in unserem Glauben und denken noch intensiver in diese Richtung. Das, woran wir glauben, wird für uns eintreten.
Wir könnten aber auch ganz anders denken. Dann würde sich etwas ganz anderes in unserem Leben verwirklichen. Allerdings ist es nicht immer

so leicht sein Denken zu ändern. Viele unserer Glaubenssätze sind so tief in uns verwurzelt, dass es oft schwerfällt, sie wieder los zu werden oder sie zu ändern. Meistens ist es sogar schwierig sie überhaupt zu erkennen. Aber es gibt ein sehr gutes Hilfsmittel.

Bevor Sie weiterlesen: Kreuzen Sie doch einmal kurz an, welche der folgenden Sätze auch von Ihnen stammen könnten. Welche dieser Aussagen sind auch Aussagen von Ihnen? Welche Dinge haben Sie von Eltern, Geschwistern, Lehrern, Freunden oder vom Fernsehen übernommen?

- ❍ Ich tauge nichts
- ❍ Das steht mir nicht zu
- ❍ Ich werde nie glücklich
- ❍ Wer soll mich schon mögen?
- ❍ Ich schaffe das nicht
- ❍ Andere sind besser als ich
- ❍ Es gibt keinen Gott
- ❍ Sex ist schlecht
- ❍ Liebe wird immer ausgenutzt
- ❍ Wahre Liebe gibt es nicht
- ❍ Wer liebt wird betrogen
- ❍ Ich habe nie Geld
- ❍ Andere sind im Bett besser als ich

- ❍ Ich glaube nicht, dass es was wird
- ❍ Ich werde es nie richtig machen
- ❍ Liebe muss man sich verdienen
- ❍ Ich zähle ja doch nicht
- ❍ Was kann ich schon ändern?
- ❍ Lieber nachgeben als streiten
- ❍ Ich verliere ja doch wieder
- ❍ So wie ich wirklich bin, kann mich keiner mögen
- ❍ Ich bekomme ja doch nie, was ich will
- ❍ Wenn ich zeige, wie ich wirklich bin, werden mich alle verlassen
- ❍ Ich sollte mich schämen
- ❍ Alles wäre gut, wenn…
- ❍ Beim Geld hört die Freundschaft auf
- ❍ Eigentlich…
- ❍ Ich sollte nicht…
- ❍ Es ist alles meine Schuld
- ❍ Auf mich hört ja doch keiner
- ❍ Ich verstehe die Frauen nicht
- ❍ Ich verstehe die Männer nicht
- ❍ Keiner kümmert sich um mich
- ❍ Ich bekomme nie, was ich will
- ❍ Ich kann nicht tanzen
- ❍ Ich kann nicht rechnen
- ❍ Ich mache alles falsch

- ❍ Andere haben besseren Sex als ich
- ❍ Ich kann einen Mann nicht wirklich befriedigen
- ❍ Ich kann eine Frau nicht wirklich befriedigen
- ❍ Ich werde es nie zu etwas bringen
- ❍ Ich habe immer Pech
- ❍ Über Sex redet man nicht
- ❍ Ich belüge mich ständig selbst
- ❍ Ich vertraue niemandem mehr
- ❍ Ich kann mir selbst nicht mehr trauen
- ❍ Masturbieren gehört sich nicht
- ❍ Das Leben ist schwer
- ❍ Arbeit ist anstrengend
- ❍ Nur durch viel Arbeit kommt man zu Geld
- ❍ Geld verdirbt den Charakter
- ❍ Ich kann mir nichts merken
- ❍ Ich denke zu langsam
- ❍ Ich habe nichts zu sagen
- ❍ Ich werde nicht beachtet
- ❍ Mich kann man nicht lieben
- ❍ Ich kann ohne Partner nicht leben
- ❍ Wer rastet, der rostet
- ❍ Ich kann nicht entspannen
- ❍ Nichts entspricht meinen Erwartungen

- ❍ Liebe macht verletzlich
- ❍ Liebe ist vergänglich
- ❍ Ich muss mir alles erarbeiten
- ❍ Ich werde immer nur benutzt
- ❍ Für Schönheit muss man leiden
- ❍ Eigenlob stinkt
- ❍ Das kann ich nicht
- ❍ Er hat mich nicht verdient
- ❍ Ich muss erst meine Schuld abtragen
- ❍ Das habe ich gar nicht verdient
- ❍ Ohne Fleiß kein Preis
- ❍ Ich darf solche Wünsche nicht haben
- ❍ Ich fühle mich klein und hässlich
- ❍ Die ganze Welt ist gegen mich
- ❍ Es gibt keine Wunder in meinem Leben
- ❍ Meine Arbeit ist nichts wert
- ❍ Es reicht ja nie
- ❍ Ich genüge nicht
- ❍ Keiner liebt mich

Und dazu noch die Selbstdefinitionen in Form der »Ich bin« Sätze. (Definition heißt übrigens wörtlich »Abgrenzung« und Selbstdefinitionen bedeutet, ich ziehe Grenzen und schließe den Rest der Wirklichkeit aus.)

- ❍ Ich bin unwichtig
- ❍ Ich bin einsam
- ❍ Ich bin dumm
- ❍ Ich bin hilflos
- ❍ Ich bin wertlos
- ❍ Ich bin nutzlos
- ❍ Ich bin ja doch nur eine Last
- ❍ Ich bin zu gut für diese Welt
- ❍ Ich bin schuldig
- ❍ Ich bin schlecht
- ❍ Ich bin ängstlich
- ❍ Ich bin unmusikalisch
- ❍ Ich bin faul
- ❍ Ich bin krank
- ❍ Ich bin zu dick
- ❍ Ich bin zu dünn
- ❍ Ich bin zu klein
- ❍ Ich bin nicht klug genug
- ❍ Ich bin ein schlechter Mensch
- ❍ Ich bin schüchtern
- ❍ Ich bin zu ernst
- ❍ Ich kann nicht ernst sein
- ❍ Ich bin gerne Single
- ❍ Ich bin unreif
- ❍ Ich bin nicht erotisch
- ❍ Ich bin konservativ

- ❍ Ich bin bodenständig
- ❍ Ich bin oberflächlich
- ❍ Ich bin süchtig nach Sex
- ❍ Ich bin nicht sexy
- ❍ Ich bin nicht redegewandt
- ❍ Ich bin impotent
- ❍ Ich bin frigide
- ❍ Ich bin pervers
- ❍ Ich bin nicht normal
- ❍ Ich bin leicht verführbar
- ❍ Ich bin schwach
- ❍ Ich bin phantasielos
- ❍ Ich bin überheblich
- ❍ Ich bin hart, aber gerecht
- ❍ Ich bin ständig zerstreut
- ❍ Ich bin anders als andere
- ❍ Ich bin humorlos
- ❍ Ich bin nicht gesprächig
- ❍ Ich bin eine arme Sau
- ❍ Ich bin zu alt
- ❍ Ich bin nicht liebenswert
- ❍ Ich bin selbstsüchtig
- ❍ Ich bin nicht wichtig genug
- ❍ Ich bin immer so müde
- ❍ Ich bin ungeschickt
- ❍ Ich bin nicht schön

- ❍ Ich bin dauernd krank
- ❍ Ich bin unglücklich

Welche dieser Glaubensmuster treffen auch auf Sie zu?
Mit welchen identifizieren Sie sich?
Welche sind Ihnen so in Fleisch und Blut übergegangen, dass sie zu Ihrer Wahrheit wurden?

Mit Sicherheit haben Sie mehrere Aussagen angekreuzt. Nun, dann wissen Sie jetzt, welche Wünsche Sie ständig unbewusst aussenden. Oft bremsen oder verkehren wir unsere bewussten Wünsche damit ins Gegenteil.

Glaubensmuster sind unglaublich starke Wünsche.

Sie werden nämlich mit unermüdlicher Beständigkeit ausgesprochen oder gedacht.
Glaubt man zum Beispiel, dass man sich die Liebe verdienen muss, sendet man genau dies beständig aus und bekommt es ebenso beständig erfüllt. Glaubt man, dass man nur durch viel Arbeit zu Geld kommen kann, wird das Erleben eben in diese Richtung gehen.

- Aus diesem Gemisch an verschiedenen Glaubenssätzen bauen wir unsere Persönlichkeit.
- Was jenseits unserer persönlichen Glaubenssätze liegt, wird von uns unbewusst bekämpft.

Wenn wir nun neue, andere, vollkommen entgegengesetzte Wünsche und Glaubenssätze denken wollen und in die Welt schicken, brauchen wir nicht abermals tausendmal das Neue zu denken, um das Alte aufzulösen. Nein, das Universum reagiert schneller, als wir für möglich halten. Dennoch benötigt es unter Umständen einige Zeit, da wir uns selbst unsere neuen Sätze nicht wirklich glauben und wir gleichzeitig mit dem Wunsch eine gehörige Portion Zweifel aussenden. Und damit kommt beim »Sachbearbeiter« ein seltsames Gemisch an Wünschen an. Welcher hat nun Priorität? Natürlich der, der auf eine lange Geschichte zurückblicken kann. Jeder andere Sachbearbeiter in unserer Welt würde wohl ähnlich vorgehen. Er würde in den alten Akten nachsehen und dann danach entscheiden, wie es anscheinend unserer Gewohnheit entspricht.

Viele Wünsche werden aus dem Mangelbewusstsein heraus formuliert.
Lautet mein bewusster Wunsch zum Beispiel »Ich bin schön«, nützt es wenig, wenn ich nicht wirklich daran glaube. Wenn ich zehn Minuten am Tag ganz bewusst meinen Wunsch realisiere, aber die restlichen 23 Stunden und 50 Minuten vom Gegenteil überzeugt bin, welcher Wunsch wird sich dann wohl erfüllen?

Glaubensmuster auflösen

Wie können wir aber nun alte Glaubensmuster auflösen? Indem wir erkennen, wo sie eigentlich hingehören und wann und warum sie entstanden sind.
Am besten man schreibt alle angekreuzten Punkte auf einen Zettel und überlegt, woher diese Überzeugungen in Wirklichkeit stammen. Wann und wo sind sie entstanden? Welche Erlebnisse haben dazu geführt? Welche Person hat diese Sätze immer wieder benutzt? Welche Personen hatten diese Überzeugungen über sich selbst? Und wer hat uns immer und immer wieder glauben lassen, dass wir dieses bestimmte Verhalten besitzen?

Wenn wir wieder dort hingehen, wenn wir zum Ursprung zurückgehen, werden wir die Wahrheit entdecken.

Setzen Sie sich ruhig und entspannt hin und suchen Sie sich einen der angekreuzten Punkte heraus. Schließen Sie die Augen und stellen Sie sich immer wieder die Frage: »Wo hat alles begonnen?« Sie werden erstaunt sein, welche längst vergessenen Bilder hochkommen werden. Ereignisse, die scheinbar lange zurückliegen, aber noch heute Ihre Vorstellung von sich selber prägen.
Und plötzlich stellen wir fest, dass viele unserer Überzeugungen gar nicht zu uns gehören, sondern vielleicht von unserem Vater oder unserer Mutter stammen. Vielleicht sind das Sätze, die wir von ihnen immer und immer wieder vorgepredigt bekommen haben. Irgendwann haben wir diese dann als für uns gültig übernommen. Wir haben begonnen uns damit zu identifizieren. Seit unserer Kindheit tragen wir nun diese falschen Glaubensmuster mit uns herum.
Wenn wir nun zu erkennen beginnen, dass dies nur eine angenommene Überzeugung ist und nicht die allein gültige Wahrheit, wird sich

unsere Einstellung zu uns selbst verändern. Wir werden uns mit anderen Augen betrachten. Wir werden uns unserer bisherigen Überzeugung nicht mehr so sicher sein. Und das ist gut so. Denn das nimmt unseren negativen Befehlssätzen an das Universum die Kraft.
Ziel der Übung ist es, die negativen Befehlssätze zu schwächen und die positiven zu stärken. Das geht fließend, Hand in Hand. Räume leeren sich und beginnen sich mit Neuem zu füllen. Und deswegen sollten wir parallel zu unserer »Bremsaktion« aktiv mit der Arbeit an unserer positiven Wunschliste beginnen. Wunder geschehen durch positive Glaubenssätze.

Erinnern wir uns:

- Materie entsteht durch Energie und wird durch gerichtete Energie geformt.
- Was immer wir denken materialisiert sich.
- Der Energie ist es egal, was wir uns wünschen. Sie arbeitet, wie von uns erwartet, für oder gegen uns.
- Wir begrenzen uns selbst durch unsere Gedanken.
- Wir begrenzen uns selbst durch unseren Glauben.

- Wir begrenzen uns selbst durch negative Befehlssätze.
- Wir erleben immer nur das, was wir glauben.
- Alles ist möglich, wenn wir es für möglich halten.

Nehmen wir doch zum Beispiel den Wunsch nach mehr Attraktivität. Wie beginnen wir nun, uns selbst davon zu überzeugen, dass wir schön sind?

Übung zur Schönheit

Wähle einen ruhigen Moment aus, stell das Telefon ab und suche dir einen Platz in deiner Wohnung aus, wo du für einige Zeit ungestört bleibst. Ein angenehmes weiches Licht wäre gut und wir brauchen einen großen Spiegel. Vielleicht vom Gang oder vom Bad.

Und dann setz dich vor diesen großen Spiegel, am besten nackt. Was geschieht normalerweise? Wir sehen sofort unsere körperlichen Fehler. Zu dick, zu weich, zu labbrig, zu hängend, zu alt, zu groß, zu klein, zu hell, zu faltig, zu unförmig. Wir konzentrieren uns meistens sofort nur auf unsere Cellulitis, auf Dullen und Dellen und Hautunreinheiten.

Wenn uns jemand sagt, wir seien schön, wehren wir uns vehement dagegen und zeigen schnell und auffallend bereitwillig, wo es mit unserem Körper nicht stimmt. Es ist doch erstaunlich. Wir alle wollen schön sein, aber wenn jemand tatsächlich etwas Schönes in uns sieht, überzeugen wir ihn sofort vom Gegenteil und zeigen ganz ungeniert unsere Makel, die wir doch eigentlich gerne verstecken wollen.
Auf diese Weise überzeugen wir aber nicht nur unser Gegenüber von unserer Hässlichkeit, wir überzeugen auch uns selbst. Und zwar ständig.

Wir sind unsere größten Kritiker!

Wir lassen erst wieder locker, wenn der andere seinen »Irrtum« einsieht. Wir sind eben nicht schön! Nach erledigter Überzeugungsarbeit fallen wir meist in tiefe Traurigkeit. Nicht schön zu sein ist nämlich unangenehm. Trotzdem überzeugen wir uns und andere jeden Tag davon.

Zurück zu uns und unserem Spiegel, vor dem wir sitzen. Heute wollen wir es anders machen. Heute betrachten wir uns ganz ruhig und entspannt. Ohne zu bewerten. Wir beobachten unseren Atem, unsere

Haut, unsere Gelenke. Wir spüren die Wärme und Intimität des Augenblicks. Das ist unser Körper, der so viel Arbeit leistet. Jeden Tag, jede Minute ist er für uns da. Niemals gibt er auf. Egal wie sehr wir ihn schinden und fordern. Egal wie sehr wir ihn beleidigen und missachten. Unser Körper ist wundervoll. Ohne ihn könnten wir all die herrlichen Dinge nicht erleben.

Für ein paar Minuten schenken wir unserem Körper die ganze Achtung für seine unermüdliche Leistung. Wir fühlen die Dankbarkeit, die wir unserem Körper entgegenbringen.

Nach einiger Zeit lenken wir unsere Konzentration auf das, was uns an unserem Körper gefällt. Das können die Haare sein, der Mund, die Schultern, ein Finger, der große Zeh, die Brüste oder der Po. Vielleicht ist es auch »nur« der Bauchnabel. Es wird immer etwas geben, das uns gefällt. Darauf konzentrieren wir uns nun, während wir feststellen:

»Ich bin offen und bereit, dass sich mein Wunsch nach Schönheit jetzt manifestiert. Ich kann dieses Wunder nun in meinem Leben zulassen. Ich weiß, dass die negativen Gedanken nicht zu mir gehören und sie mit jedem Tag schwächer und schwächer werden. Ich liebe meinen Körper und betrachte ihn

voller Bewunderung. Ich bin schön und begehrenswert. Und es steht mir zu, so zu sein.«

Wenn wir dies einige Abende lang wiederholen, wenn wir für einige Zeit mit uns und unserem Körper so achtungsvoll umgehen, werden wir immer mehr Stellen an unserem Körper entdecken, die uns gefallen. Mit jedem Tag nehmen wir mehr von uns an. Unser Körper ist schön und wundervoll. Er leistet ungeheuer viel und beginnt nun, da wir ihm unsere Achtung und Anerkennung schenken, mit jedem Tag schöner zu werden.
Nicht dass unser Körper sich sofort verändert und schöner wird (als ob es einen hässlichen Körper gäbe!), sondern unser Bild von uns selbst wandelt sich. Wir legen nicht mehr einen unnatürlichen Maßstab an und sagen: Erst wenn mein Körper so aussieht wie der von Claudia Schiffer oder Brad Pitt ist er schön. Wir sehen die Schönheit unseres Körpers *jetzt.* Die innere Schönheit zieht die äußere Schönheit an. Und damit wird unser Körper auch tatsächlich immer schöner und unsere Ausstrahlung nimmt zu.

Wenn wir nun den Wunsch »Ich bin schön« aussenden, ist unser geheimer Widerstand bereits wesentlich kleiner geworden. Der Wunsch kann sich endlich manifestieren.

Ich lasse die Schönheit zu.

Wir begeben uns mehr und mehr in die Frequenz von Schönheit. Wir senden diese Energie aus und wir erhöhen gleichzeitig unsere Schwingung. Das Energie-Erhaltungsgesetz und das Gesetz der Resonanz arbeiten für uns.
Vielleicht werden wir schon bald darauf angesprochen, wie schön wir sind. Und nun begehen wir nicht mehr den Fehler unser Gegenüber vom Gegenteil zu überzeugen.
»Ja, ich bin schön. Und mit jedem Tag werde ich schöner.«

Unmöglich? Nein, nichts ist unmöglich. Hier noch ein weiteres Beispiel, dass nichts unmöglich ist, wenn wir es nur für möglich halten. Wir müssen manchmal einfach nur aufhören uns beständig zu erzählen, warum etwas nicht klappen kann. Manchmal suchen wir geradewegs nach Gründen für den Misserfolg.
Dabei werden manche Wünsche sogar sofort geliefert. Wir dürfen nur nie vergessen, dass wir

unser Leben durch unsere eigenen, bewussten und unbewussten Glaubenssätze selbst gestalten.

Unmögliches wird sofort erledigt

Als wir in München die Endbearbeitung für unseren Kinofilm »Und das ist erst der Anfang« machten, fühlten wir uns so wohl, dass wir unbedingt wieder zurück nach München wollten. Das Wetter war schön, die Leute freundlich und all unsere Freunde waren wieder da. München war einfach unser Zuhause.

Aber sofort waren da tausend Glaubenssätze, warum es bestimmt nicht klappen könnte.

- In unsere Heimat zurückzukehren geht nicht so einfach, denn Julia, unsere Tochter, besucht in Bonn eine internationale Schule.
- Sie in München einzuschulen wäre sicher unmöglich, denn alle englischsprachigen Schulen sind völlig überlaufen.
- Die Wartelisten betragen mehrere Jahre.
- Natürlich könnten wir es uns wünschen, aber realistisch betrachtet bräuchte unser Wunsch doch einige Zeit und es sind nur noch zwei Schultage bis zu den Sommerferien.
- Wahrscheinlich ist überhaupt niemand mehr in den Schulen.

- Mit Sicherheit sind die Klassenlisten schon lange geschrieben und aufgeteilt.
- Es gibt keinen Platz. Nicht für uns und für niemanden auf der ganzen Welt.
- Dieses Jahr kann es nichts mehr werden. Selbst wenn wir es uns noch so sehr wünschen würden. Wahrscheinlich nicht einmal nächstes Jahr.

Doch dann wurde uns bewusst, dass wir uns wieder einmal in der eigenen Falle von negativen Glaubenssätzen gefangen hatten. Wir waren also gerade dabei, uns den eigenen Misserfolg zu kreieren.
Sofort schwenkten wir um und begannen es uns zu wünschen. Immerhin war *erfolgreich wünschen* für uns bereits so etwas wie unsere zweite Natur geworden.
Aber dem Wunsch nachzugehen erschien uns nicht sonderlich realistisch.
Warum nicht?
Da war also wieder der Verstand mit seinen Zweifeln durch die Hintertür hereingekommen.
Warum lassen wir es jetzt nicht einfach auf uns zukommen?

Und seltsamerweise, kaum war unser Wunsch formuliert und ausgesandt, spürte ich ständig den Drang in einer der besten internationalen Schulen anzurufen. Michaela schmunzelte nur noch. Natürlich war es Blödsinn, sagte mein Verstand. Natürlich war die Erfüllung des Wunsches vollkommen unmöglich. Natürlich kann es gar nicht funktionieren.
Aber nach dem Aussenden eines Wunsches hört Michaela sehr genau auf die feineren Energien. Keine zwei Minuten später hatte sie meinen Impuls in die Tat umgesetzt und rief die Schulleitung an.
Das unglaubliche Wunder nahm Formen an. Man sagte ihr, dass es in der Tat für die zweite Klasse noch einen Platz gäbe – ein anderes Kind sei gerade abgesprungen – und wir sollten doch morgen, am letzten Schultag des Jahres vorbeikommen. Allerdings machte man uns keine Hoffnungen, da normalerweise ein langwieriges Aufnahmeverfahren nötig sei.
Am nächsten Morgen saßen wir also staunend im Büro der Direktorin. Ein Elternpaar war uns weinend entgegengekommen, ihr Kind hatte keinen Platz bekommen und sie würden deswegen zurück nach England ziehen.

Genau genommen war uns klar, trotz aller Freundlichkeit der Direktorin, dass man uns genauso abweisen würde, wie tausend andere jedes Jahr. Andererseits hatten wir es uns doch gewünscht und der Wunsch hatte uns hierher geführt. Mitten in das Büro der Direktorin, die wie durch ein Wunder noch einen freien Platz zu vergeben hatte. Den einzigen Platz in der ganzen Schule. Und dieser Platz war auch noch genau in der zweiten Klasse, in die Julia gehen müsste.

Die Direktorin sprach lange mit Julia, ließ sie einige Tests machen, sie tauschten sich intensiv in Englisch aus und dann, nach einer Stunde, wurde das Wunder Wirklichkeit. Die Direktorin nickte uns zustimmend zu und trug Julia in die Liste der neuen Schüler ein.

Wenn etwas wirklich unmöglich gewesen war, dann das: Innerhalb eines Tages einen Platz auf dieser Schule zu bekommen. Noch Jahre danach bestätigten uns andere Eltern das Unfassbare dieses Wunders.

Regel 5
Vertrauen statt zweifeln

Zweifel sind eine weitere Form von Glaubenssätzen, die sich auf das Wünschen sehr negativ auswirken. Will man *erfolgreich wünschen*, ist es ganz wichtig, den Zweifeln keine Nahrung zu geben, denn zweifeln ist nichts anderes, als an die Nicht-Erfüllung des eigenen Wunsches zu glauben.

Wer behauptet, nicht daran zu glauben,
glaubt in Wahrheit ebenso:
Er glaubt an das Gegenteil seines Wunsches.

Wir glauben immer irgendetwas. Und sei es nur, dass es nicht funktioniert.
Seltsamerweise sind wir in unserem Zweifel besser und intensiver als in unserem Glauben an das *erfolgreiche Wünschen*. Mit Zweifeln stehen wir uns aber nur selbst im Weg. Mit dem Zweifel ruft man seine Wünsche, kaum dass sie ausgesandt wurden, wieder zurück.

Oft wird parallel zum Wunsch gesagt oder gedacht: »Das funktioniert ja sowieso nicht.« Aber auch dieser Gedanke ist nichts anderes als ein ausgesprochener Wunsch. Die Erwartungshaltung lautet dann: »Es funktioniert nicht.« Oder: »In meinem Leben funktioniert es nicht.« Und was wird dann geschehen? Dieser ausgesandte Wunsch wird genauso ausgeliefert.

Zweifel ist auch ein ganz klarer Wunsch

Wenn man sich also entscheidet, sich zu beschränken, wird man genau diese Beschränkung erleben.
Auch mit ängstlichen Gedanken bremst man seinen Wunsch. Hinter dem Gedanken: »Was mach ich denn nur, wenn das jetzt nicht klappt«, verbirgt sich im Grunde ebenfalls der Zweifel. Wäre man überzeugt, dass sich der Wunsch erfüllt, bräuchte man die Sorge ja nicht länger. Die Besorgnis zeigt einem nur, dass man eher am Zweifel festhält als an der Erfüllung.
Viele sagen dann: »Ich habe es mir so sehr gewünscht, aber es ist nie eingetreten. Ich habe es ja gleich gewusst.« – Aber was haben sie gleich gewusst? Sie wussten mit Sicherheit, dass das

Wünschen bei ihnen nicht funktioniert. Dieses Wissen sandten sie gleichzeitig mit dem Wunsch hinaus und nahmen ihm damit alle Energie. Der bewusst formulierte Wunsch wird also meist überlagert von unbeabsichtigt gedachten Zweifeln. Wie erfolgreich das Wünschen tatsächlich ist, sehen wir daran, mit welcher Beharrlichkeit der negative Wunsch, also die Verhinderung, in unser Leben tritt.

Wir sind immer erfolgreich.
Meistens mit der Erschaffung unseres Misserfolgs.

Alles positive Denken, alle Mantren dieser Welt helfen nicht, wenn wir tief in unserem Inneren ständig an Mangel und Begrenzungen denken. Denn der Zweifel ist eine tief verwurzelte Einstellung. Er ist ein fest verankerter Glaube, der sich genauso verwirklicht.

Wer nicht an den Erfolg glaubt,
kann keinen Erfolg haben.

Der Weg raus

Was macht man nun mit seinen Zweifeln? Mit der kleinen Stimme, die ständig sagt, das steht einem nicht zu, das funktioniert sowieso nicht? Wie schafft man es, nicht auf sie zu hören oder daran zu denken?

Das ist wie mit der Schokolade, an die man nicht denken soll, wenn man abnehmen will. Man versucht dann ganz bewusst »nicht« an Schokolade zu denken und denkt erst recht daran. An etwas nicht zu denken, geht nämlich nicht, weil man durch den Versuch nicht daran zu denken, erst recht daran denken muss.
Vermeiden ist also eine schlechte Strategie, weil man dadurch den Gedanken erst recht erschafft.

Am besten ist es also die Gedanken zuzulassen und nicht zu bewerten. Sie sind da, sie blubbern nach oben, werden kurz betrachtet – es sind ja nur Gedanken, denen wir keine weitere Kraft und Bedeutung schenken – und werden unkommentiert wieder losgelassen und weitergeschickt.
Neue Gedanken kommen, manche aus dem Tagesgeschehen, andere aus unserer Vergangenheit. Es sind nur Gedanken, an ihnen ist nichts Schlimmes. Erst wenn man sich über sie ärgert, beginnen sie einen zu stören. Erst wenn man sie verhindern will, bekommen sie Macht. Denn erst

durch die Überzeugung »Ich schaffe es einfach nicht« oder »Dauernd stören meine Gedanken und vernichten alle meine Wünsche«, erschafft man dieses Szenarium.
Zulassen und nicht bewerten ist also der einzige Weg. Gedanken kommen und gehen und stören nicht das *erfolgreiche Wünschen*. Man vertraut auf seine Wünsche. Störende Gedanken haben keine Kraft, weil man ihnen keine Kraft schenkt.
Wir können noch einen Schritt weitergehen und den Spieß umdrehen:

Warum immer nur das Gute bezweifeln?
Warum nicht mal das Schlechte in Frage stellen?

Wir können doch daran zweifeln, ob die negativen Gedanken wirklich unsere Wahrheit sind. Mit dem Zweifel können wir so auch die ständige Manifestation unserer hinderlichen Glaubenssätze bremsen.

Aus eigener Erfahrung weiß ich allerdings, wie schnell man seinen eigenen negativen Zweifeln erliegen kann. Vor allem, wenn der persönliche Druck zunimmt.

Der Wunsch nach dem idealen Haus

Als wir von Bonn nach München umziehen wollten, hatten wir nur mein kleines Büro in München. Michaela hat ein sehr sonniges Gemüt und wollte unbedingt eine wunderschöne Bleibe ganz in der Nähe finden, damit ich nicht jeden Tag durch den Berufsverkehr fahren müsste. Sie ging sogar noch einen Schritt weiter. Sie war überzeugt, dass wir maximal drei Gehminuten entfernt ein wunderschönes Häuschen zur Miete finden würden. Ich war ebenso überzeugt. Schließlich war unser Wunsch doch schon aufgegeben.

Aber wo immer wir auch nachfragten, ernteten wir nur ungläubiges Kopfschütteln. Die zuständigen Makler machten uns schnell klar, dass wir unter einem Jahr mit Sicherheit nichts finden würden. Nicht in dieser Gegend, sie hätten bereits Leute, die im Hotel wohnen würden, weil es einfach kein Angebot in dieser Gegend gäbe. Unsere Zeitungsannoncen wurden nicht einmal beantwortet. Je intensiver wir suchten, desto unmöglicher schien die Erfüllung unseres Wunsches zu sein.

Vier Wochen vor dem geplanten Umzug wurde die Umzugsfirma langsam nervös. Sie wollten

endlich wissen, wohin die ganzen Möbel transportiert werden sollten. Ich übrigens auch.
Sie mussten Parkgenehmigungen besorgen und Halteverbotsschilder aufstellen. Aber das »gewünschte« Haus war noch immer nicht in Sicht. Im Gegenteil. Es war mir klar, dass wir scheitern würden. Wir hatten unser Glück zu weit herausgefordert.
Und da begannen Zweifel in mir zu arbeiten. Ich überlegte mir schon mal sicherheitshalber, ob wir nicht einen Lagerraum für unsere Möbel anmieten sollten. Ich war überzeugt, diesmal würde es schief gehen. Aber Michaela blieb unerschütterlich in ihrem Glauben. »Das Haus wird kommen, wir haben es gewünscht, also warum daran zweifeln?« Natürlich hatte sie Recht. Natürlich. Aber das hier war doch nun langsam eine ziemlich ernste Situation. Was ist denn, wenn der Kosmos ein anderes Zeitverständnis hatte als wir? Oder aber beim Universum gerade unglaublich viele andere Wünsche eingingen und sie nach Eingangsdatum abgearbeitet wurden? Vielleicht war unser »Sachbearbeiter« noch mit ganz anderen Dingen beschäftigt? Wesentlich wichtigeren, als unserem kleinlichen Hauswunsch in absoluter Nähe zu meinem Büro.

Und was sollten wir den Umzugsleuten sagen? »Wir haben gerade einen Wunsch beim Universum aufgegeben und daran darf man nicht zweifeln.« Die hätten uns doch alle für komplett bekloppt gehalten.

Ehrlich gesagt, es gab Momente, da hielt ich Michaela auch für... Na, sagen wir mal, stur.

Aber letztendlich war mir unsere Ehe wichtiger, als die immer wahrscheinlicher werdende Gefahr mit den Möbeln auf der Straße zu sitzen. Eigentlich kam mir der Gedanke ganz witzig vor: Mit Kaffeetassen auf dem Sofa zwischen parkenden Autos. Doch wenn es dann zu regnen anfing?

Mit jedem Tag wurde ich nervöser. Vor allem da Michaela in ihrem grenzenlosen Urvertrauen allen Maklern, die nicht ebenso wie sie an den Erfolg glaubten (und das waren alle), abgesagt hatte. Warum sollte sie sich mit Energien umgeben, die gegen ihren Wunsch arbeiteten, meinte sie. Wir hatten also kurz vor dem Umzug noch immer kein Haus und auch niemanden mehr mit der Suche beauftragt.

Bisher war ich im *erfolgreich wünschen* ausgesprochen gut gewesen, doch nun waren eindeutig Grenzen aufgetaucht. Nicht jedoch für Michaela. Frauen sind ja so unglaublich irrational. Jeder

rationale Gedanke scheint ihnen fremd. Aber der Termin rückte näher und näher. Irgendwann würde auch Michaela der Wahrheit ins Auge sehen müssen. Und die grausame Wahrheit war so offensichtlich. Diesmal hatte die prompte Lieferung nicht geklappt. Unsere Möbel würden auf die Straße gekippt werden.
Aber – für mich unfassbar – Michaela wollte dieser Wahrheit nicht ins Gesicht sehen. Für sie gab es keinen Grund zu zweifeln. Im Gegenteil, sie animierte mich dazu, meinen Zweifeln keinen weiteren Raum zu schenken und voller Vertrauen an der Erfüllung unseres Wunsches festzuhalten.

Und dann geschah tatsächlich das Wunder. Es begann zunächst ganz unscheinbar in einer Apotheke. Die Besitzerin erkannte uns wieder. Sie hatte uns vor vielen Jahren einen Schwangerschaftstest verkauft und zwei Stunden später einen zweiten, weil das Ergebnis nicht eindeutig war und ich Michaela so lange nervte, bis sie die Apothekerin um Rat fragte. War die Farbe des Teststreifens nun rot oder blau? Sie konnte sich noch ganz gut daran erinnern. Wir kamen ins Gespräch und plötzlich erzählte sie, dass einer ihrer alten Freunde wegziehen und sein Haus vermieten würde. Hier, gleich um die Ecke.

Keine zehn Minuten später riefen wir dort an und vereinbarten für den nächsten Tag einen Termin. Aber natürlich hielten wir es nicht so lange aus. Am gleichen Nachmittag schlichen wir um das Haus herum und betrachteten es schon mal von außen. Es gefiel uns. Es war unser Haus. Es fühlte sich an wie unser Haus. Aber am nächsten Tag sollte der offizielle Termin für alle anderen Interessenten sein. Wieso sollten gerade wir dieses Haus bekommen?
»Vielleicht weil wir es gewünscht haben und es gerade geliefert wird«, lächelte Michaela mit ihrem unerschütterlichen Glauben.
Und da geschah das zweite Wunder oder die zweite Rate der Lieferung.
Als wir uns wieder langsam vom Haus entfernten, kam eine ältere Dame und wollte das Gartentor öffnen. Aber es klemmte. Wir waren bereits recht weit entfernt, da rief sie uns zurück und bat uns ihr zu helfen. Wir öffneten nicht nur das Gartentor, sondern ebenfalls die Haustür, und als wir der Frau erzählten, dass wir am nächsten Tag mit allen anderen das Haus besichtigen

wollten, lud sie uns ein, es doch sofort zu tun. Auf diese Weise bekamen wir eine ganz private Führung durch »unser« Haus.
Das Haus war genau das, was wir gesucht hatten. Wir waren begeistert. Wir sahen vor unserem inneren Auge schon die Zimmeraufteilung und wussten, welche Möbel wir wohin stellen wollten.
Aber noch war es nicht soweit. Die ältere Dame mochte keine Entscheidung vorweg nehmen, aber man war sich sympathisch und sie wollte mit ihrem Sohn telefonieren, der dies alles abwickeln würde. Am nächsten Tag lernten wir dann die ganze Familie kennen. Bevor die anderen Interessenten kamen. Es war ein wundervoller Nachmittag und allen war klar, dass wir das Haus bekommen sollten. Obwohl andere anschließend bedeutend mehr Geld boten und vermutlich ein wesentlich sichereres Einkommen vorzuweisen hatten als wir, hielten wir kurz darauf den Mietvertrag in unseren Händen.

Wunder? Zufall? Oder die Lieferung unseres Wunsches?
Es gab allerdings ein großes Handicap. Das Haus stand erst in drei Monaten zur Verfügung. Es war

noch voll möbliert und es gab für die Vermieter keine Möglichkeit, zu einem früheren Zeitpunkt das Haus zu verlassen.
Aber selbst das war keine Schwierigkeit. Wir durften alle Möbel sofort ins Haus stellen und würden für eine kurze Übergangszeit im Büro übernachten.
Kurz darauf zogen sie doch früher aus als geplant und wir somit früher ein. In unser wundervolles »wunschgerecht« und termingerecht geliefertes Haus.

Es kam noch besser. Nicht nur, dass das Haus genau unseren Wünschen entsprach und mein Büro nur drei Gehminuten entfernt ist, sind die Vermieter eine wahre Freude an Menschlichkeit und die Nachbarn ein außergewöhnlicher Glücksfall.

Michaela hatte also Recht. Geliefert wird immer. Warum dann daran zweifeln?

Zweifel ist so etwas
wie eine Stornierung des Wunsches.

Zweifel ist so etwas wie ein Gegenwunsch.

Man bestellt alles wieder ab. Zweifel sendet die Information aus, es wird ja doch nichts. Der Wunsch lautet dann ganz einfach: »Es läuft schief.« Was das Universum dann liefert, ist die Bestätigung unserer Vorstellung, dass es eben nichts werden kann.

Mit Sicherheit wäre dies meine Erfahrung geworden, wenn Michaela nicht so standhaft geblieben wäre.

Verschwiegenheit

Ein weiterer sehr wesentlicher Punkt für den Erfolg beim Wünschen ist, nicht darüber zu reden. Sprechen Sie mit niemandem über Ihren Wunsch, bis er sich erfüllt hat.
Zum einen verpufft die Energie durch das ständige »Zerreden«. Zum anderen rufen wir ganz schnell Widersacher, Neider und Zweifler auf den Plan und geben ihrem Glauben und ihren Überzeugungen Raum.

Darüber reden schwächt den eigenen Wunsch.

Warum ist das so?

Alle wirklich großen Ideen entstehen in der Verschwiegenheit. Jede Idee ist am Anfang nur ein Impuls, ein Gedanke, der, wenn er nicht aufgefangen wird, wieder verschwindet. Zuerst ist da nur eine vage Vorstellung, die sich langsam immer mehr konkretisiert und schließlich, erst nach einiger Zeit, als klares Produkt oder Objekt vor dem inneren Auge steht. Erst dann, wenn die eigene Vorstellung darüber gefestigt ist, entstehen daraus größere Visionen und konkrete Pläne.

Erst wenn das eigene Gefüge und die eigene Vorstellung genügend gestärkt sind, geht man damit in die Außenwelt, um andere von dem neuen Projekt zu überzeugen, sie zu euphorisieren und einzuschwören.

Würde man dies zu früh tun, wäre man selbst noch gar nicht stabil genug. Bereits ein paar abfällige oder abwertende Worte würden in diesem Stadium wahrscheinlich dazu führen, dass man das Projekt wieder aufgibt.

Sind wir aber mit unserer eigenen Idee gewachsen und fest genug mit den neuen Plänen geworden, dann hat es sich bereits so konkretisiert, dass wir dafür auch wirklich eintreten können. Trotz Gegenwind und Widersachern.

Alle großen Erfinder dieser Welt können diesen Vorgang bestätigen. Geheimhaltung ist also nicht nur wegen der Gefahr des Ideenklaus so wichtig, sondern auch, damit man erst selbstsicher genug wird. Wer möchte sich schon mit Ideen lächerlich machen, die nicht verwirklicht werden? Beim nächsten Mal trauen wir unseren eigenen Ideen noch weniger und irgendwann sind wir von unserer Minderwertigkeit so überzeugt, dass wir überhaupt keine eigenen neuen Ideen oder Konzepte mehr zulassen.

Beim Wünschen kommt noch ein ganz anderer Aspekt hinzu. Wir befürchten, man hält uns für komplett verrückt. Wem kann man auch so etwas »Schräges« erzählen? Wir haben Angst, wir werden plötzlich als Spinner und Esoteriker abgetan und nicht mehr ernst genommen.

Und wer macht sich über uns mit Sicherheit am meisten lustig? Diejenigen, deren Leben selber noch weniger in Ordnung ist und die daher nicht wollen, dass bei uns alles besser wird. Woran sie nicht glauben, soll gefälligst auch in unserem Leben nicht stattfinden. Besser ist es also zu schweigen.

Wenn wir dann genügend Erfahrung gesammelt haben und so manche Wünsche in Erfüllung gegangen sind, können wir gerne andere davon in Kenntnis setzen. Denn jetzt sind wir gefestigt genug. Wir wissen um unsere Kraft der Gedanken. Für uns gibt es dann keine »Zufälle« mehr. Und unser Beispiel kann den anderen jetzt sogar Mut machen.

Bis es aber soweit ist, sollten wir unseren Wunsch – so oft es geht – in aller Stille wiederholen. Am besten wir wiederholen die Formulierung abends vor dem Einschlafen und morgens beim Aufwachen. Wenn wir mit dem Wunsch auf den Lippen einschlafen, wird unser Unterbewusstsein diesen Wunsch weitertragen. Vielleicht träumen wir sogar davon und werden beim Aufwachen bemerken, wie wundervoll es sich anfühlt, wenn unser Wunsch bereits in Arbeit ist. Wenn wir nun auch noch morgens eine Minute in stiller Andacht mit unserem Wunsch und der zugehörigen Affirmation verbringen und den Tag auf diese Weise beginnen, werden uns die positive Energie den ganzen Tag über begleiten.
Manchmal werden Wünsche natürlich auch sofort erfüllt. In aller Verschwiegenheit lassen wir

uns einfach zur richtigen Zeit zum richtigen Ort führen. So wie es mir kürzlich geschehen ist.

Der Flughafen Amsterdam wird gesperrt

Erfolgreich wünschen geht in allen Situationen. Und natürlich besonders dann, wenn es gerade nicht so sonderlich gut im Leben läuft. Manchmal vergessen wir dann allerdings erst recht uns etwas zu wünschen und versuchen hektisch zu kämpfen. Aber ebenso schnell können wir uns auch aus dem sinnlosen Treiben wieder befreien.

So erging es mir zum Beispiel am Amsterdamer Flughafen. Der gewaltige Schneeeinbruch war für viele völlig unerwartet gekommen und hatte den gesamten Flughafen lahm gelegt. Während mehrerer Stunden geduldigen Wartens hatte das Schneetreiben so heftig zugenommen, dass der gesamte Flughafen schließlich für die Nacht gesperrt wurde. Die Lage war hoffnungslos. Getränke wurden ausgegeben sowie Decken und Kissen für die Nacht.
Unzählige Menschen waren verärgert, wütend, übermüdet und stritten. Aber ihre negative Einstellung gegenüber dem Unveränderbaren hat ihnen nicht geholfen die Nacht angenehmer zu

gestalten. Zu Tausenden standen sie an Ticketschaltern, zu Tausenden suchten sie an ihr Gepäck zu kommen, das irgendwo in den Bäuchen der Flugzeuge gelagert war. Keiner wusste wirklich Bescheid und alle irrten hilflos umher.
Mir erging es zunächst ganz ähnlich. Auch ich ließ mich von der Hektik anstecken. Am nächsten Tag hatte ich schließlich wichtige Termine, die ich nun nicht einhalten konnte. Ich begann in meiner dicken Jacke zu schwitzen und verlor mich in ziellosen Aktionen.
Plötzlich jedoch erinnerte ich mich wieder an *erfolgreich wünschen*. Was nicht zu ändern ist, ist nicht zu ändern. »Genieße das Leben jeden Moment, behalte deine gute Laune und bestell dir einfach immer die beste Lösung.« Dies galt doch genauso auch für diese Nacht.
Meine Bestellung war ganz einfach und lautete: »Ich habe für heute Nacht ein wunderschönes und ruhiges Hotelzimmer und erhalte die beste Möglichkeit, zurück nach München zu kommen. Ich bin jetzt offen und bereit für diese Informationen.«
Ich bedankte mich noch für die Erfüllung des Wunsches, schloss damit also den Wunsch ab und war bereit, die Dringlichkeit meiner Situ-

ation zu vergessen. Ich wusste, ab jetzt wird sich darum gekümmert, dass alles zu meinem Besten geschieht.

Zunächst setzte ich mich in aller Ruhe hin und beobachtete das ungewöhnliche Treiben. Dass ein Flughafen geschlossen wird, geschieht nicht alle Tage. Es gab also Dinge zu sehen, die ich vorher noch nicht erlebt hatte. Und so nahm ich plötzlich ein wunderbares Schauspiel wahr. Während sich unzählige Menschen um die Tickets für den nächsten Tag stritten, wobei noch gar nicht sicher war, ob am nächsten Tag der Flughafenbetrieb überhaupt wieder aufgenommen werden konnte, saß ich da und trank Kaffee. Ich wusste einfach, dass das Richtige für mich geschehen würde.
Obwohl das Flughafenhotel wegen Überfüllung geschlossen wurde und ebenso die angrenzenden Hotels, wurde ich immer ruhiger. Menschen waren verzweifelt, Kinder weinten, die Lage schien mit jeder Minute, die verstrich, immer hoffnungsloser zu werden. Die Autovermietungen machten dicht, da alle erhältlichen Fahrzeuge ausgegeben worden waren. Der Verstand meldete sich und beschimpfte mich, warum ich mich

nicht rechtzeitig um ein Fahrzeug gekümmert hatte, aber das Gefühl war noch immer ruhig. Ein Mietwagen schien also nicht die beste Lösung zu sein.
Ich bekam Hunger, streunte umher, lehnte mit einem Becher Kaffee an einem Tresen und beobachtete all die ganzen hektischen Menschenmassen. Plötzlich klappte ein Schild um, eine Glasscheibe wurde zur Seite gezogen und eine Frauenstimme fragte mich, wohin ich möchte?
Ich hatte an einem Fahrkartenschalter gelehnt. »Nach München«, antwortete ich verdutzt. »7.03, einmal umsteigen«, sagte die Dame und bevor ich überhaupt etwas erwidern konnte, schob sie mir ein Zugticket herüber. »Sie können morgen früh von hier fahren oder vom Centralbahnhof Amsterdam.«
Ohne lange zu überlegen kaufte ich das Ticket, und als ich mich umdrehte, stand hinter mir eine endlos lange Schlange von Menschen. Als ich am geschlossenen Schalter gelehnt hatte, war ich der Einzige und nun war er übervölkert und die letzten mussten bestimmt eine Stunde oder länger warten.
Da ich nicht wusste, was ich bis sieben Uhr früh machen sollte, spazierte ich umher und ohne

wirkliche Absicht ging ich ins Untergeschoss. Dort stand ein Nahverkehrszug nach Amsterdam Centralbahnhof. Ich stieg ein. In der gleichen Sekunde fuhr er ab. Der Schaffner fragte mich, wo ich denn übernachten würde und empfahl mir ungefragt ein Hotel zehn Minuten vom Bahnhof entfernt in einer kleinen Seitengasse, da alle anderen durch den Schneefall bestimmt ausgebucht seien.

Am Bahnhof standen dreißig bis vierzig Menschen um ein Taxi und beschimpften sich, aus zwei Bahnhofshotels sah ich Reisende, die abgewiesen worden waren, mit schwerem Gepäck und suchendem Blick herauskommen. Ich stapfte seelenruhig den empfohlenen Weg, fand das Hotel und bekam das letzte Zimmer. Das allerletzte an diesem Abend. Ein wunderschönes, großes und ruhiges Zimmer. Ich bestellte mir etwas zum Essen und als krönenden Abschluss auf den gelungenen Abend sogar ein Glas Champagner.

Ohne in langen Warteschlangen mit anderen um einen Platz zu kämpfen, hatte sich mir schnell und problemlos die beste Lösung für die Nacht aufgetan.

Nun war ich gespannt, ob der Zug auch wirklich die richtige und schnellste Möglichkeit sein würde.

Am nächsten Tag, in der Früh, sah ich Reisende in der Hotelhalle schlafen und erfuhr, dass der Flughafen noch immer gesperrt war und wahrscheinlich auch den ganzen Tag nicht öffnen würde. Manche hatten sogar bis zu vier Stunden wartend in ihren Flugzeugen verbracht, bis sie wieder, übermüdet und enttäuscht, aussteigen mussten.
In meinem Zug nach Deutschland saßen Mitreisende, die die ganze Nacht in der überfüllten Bahnhofshalle verbracht hatten und ich erfuhr von ihnen, dass all diejenigen, die in der Nacht ein Auto ergattert hatten, bereits nach wenigen Kilometern wieder umdrehen mussten, da die Autobahnen ebenfalls gesperrt worden waren.
Der Zug war somit tatsächlich nicht nur die beste, sondern auch die einzige Möglichkeit an diesem Tag von Amsterdam nach München zu kommen.
Ohne *erfolgreich wünschen* hätte ich wohl eine grauenhafte Nacht verbracht und noch lange vergeblich am Flughafen ausgeharrt. So aber saß ich ausgeschlafen, glücklich frühstückend

im Speisewagen, während eine weiße Schneelandschaft an mir vorbeizog.

Jeder entscheidet also immer selbst, ob eine Situation tatsächlich furchtbar oder wunderbar ist. Ob sie zum weiteren Niedergang führt oder sich zum Besten entwickelt.
Dinge sind, wie sie sind. Man kann sich in jeder Sekunde entscheiden, ob sie für oder gegen einen arbeiten. Bestimmend ist immer nur die Betrachtungsweise. Meine Betrachtungsweise des Lebens ist, immer nur das Beste zu erwarten. Und dies kann ich am einfachsten mit *erfolgreich wünschen.*

Regel 6
Offen sein für »Zufälle«

Die Art und Weise, wie geliefert wird, kann man sich nicht ausdenken. Denn fast immer wird der Wunsch auf eine Weise erfüllt, wie man es nie für möglich gehalten hätte. Also sollte man einfach nur bereit sein, dass der Wunsch erfüllt wird. Wenn man nämlich immer nur in die Richtung schaut, aus der man die Lieferung erwartet, könnte es geschehen, dass man die Abgabe verpasst, weil man darauf lauert, dass die Bestellung ausschließlich auf genau die Weise erfüllt wird, wie sie in unser kleines Vorstellungsvermögen hineinpasst. Das Universum ist aber wesentlich einfallsreicher. Wir sagen dann gerne, es wäre ein Wunder geschehen, weil wir völlig überrascht sind, dass es plötzlich so viele »Zufälle« in unserem Leben gegeben hat, damit sich unser Wunsch erfüllen konnte.

Der Kosmos liefert auf überraschenden Wegen

In Wahrheit materialisiert sich einfach nur unser Wunsch. Und dies geschieht eben oft auf eine Weise, mit der wir nicht gerechnet haben. Dies sagt aber nur etwas über unsere Vorstellungskraft aus und nicht über die vielen Möglichkeiten, die es gibt, unseren Wunsch realisiert zu bekommen.

Wünschen wir uns also zum Beispiel Geld, sollten wir es vollkommen offen lassen, auf welchem Weg das Geld zu uns findet. Sind wir jedoch davon überzeugt, dass Tante Erna uns das gewünschte Geld geben wird, behindern wir uns mit unserer festgefahrenen Vorstellung dabei, die wirkliche Lieferung zu erkennen.

Der Kosmos sucht sich immer den schnellsten und leichtesten Weg aus.

Vielleicht will Tante Erna uns das Geld gar nicht geben. Dann fängt sie auch unsere gedankliche Wunschenergie nicht auf. Sie resoniert einfach nicht damit. Unsere ausgesandte Energie hält sich deswegen mit Tante Erna nicht weiter auf

und verbreitet sich ständig weiter, bis sie auf etwas trifft, das die gleiche Schwingung besitzt und antwortet.
Unsere Wunschenergie leistet also keine Überzeugungsarbeit, sondern ist nichts anderes als eine kosmische Suchmaschine.

Nachdem wir nun nicht wissen können, was oder wer auf unseren Wunsch anspricht, haben wir natürlich auch keine Ahnung, aus welcher Richtung das Geld nun eintreffen könnte. Da wir aber keine Ahnung haben, ist es ziemlich töricht, sich auf eine bestimmte Richtung festzulegen. Trotzdem tun wir es. Ich selbst ertappe mich auch immer wieder dabei, dass ich eine ganz klar vorgefertigte Vorstellung habe und deswegen die Erfüllung meiner Wünsche oft gar nicht sofort bemerke.

»Wo bleibt meine Bestellung?« – Oder »Ich sitze im falschen Zug!«

Ich fahre immer öfter mit dem Zug anstatt zu fliegen. Ich finde, man kann die Zeit besser nutzen. Meist sitze ich eine Weile im Speisewagen und sehe mir dann auf meinem Laptop einen Film an. So hatte ich es auch diesmal vor. Morgens, wenn ich das Haus verlasse, formuliere ich rasch meinen Wunsch und sende ihn hinaus. Ich wollte zuerst Kaffee und Kuchen und anschließend einen Film ansehen und hatte alles Nötige dabei. Meinen Laptop und eine DVD. Im ICE gibt es immer einen Stromanschluss. Aber plötzlich saß ich in einem IC. Dort gab es weder ein Restaurant noch Steckdosen. Darüber hinaus war der Zug völlig überfüllt. Der einzige Platz war an einem Tisch, an dem mir auch noch Menschen gegenüber saßen, die mich freundlich anstarrten. War meine Bestellung diesmal nicht eingetroffen? Wenn der Zug schon so voll ist, wäre es doch gut gewesen, in einer Ecke zu sitzen, aber hier mitten im Großraumwagen?

Ich war jedenfalls mit dem Universum überhaupt nicht zufrieden und schimpfte innerlich vor mich hin. Plötzlich stieß der Mann mir gegenüber mit dem Knie gegen etwas und rieb sich die schmerzende Stelle. »Eine Steckdose«, murrte er missmutig zu seiner Frau. »Wer braucht denn so was?«

»Ich!«, schrie ich innerlich auf und blickte erstaunt unter den Tisch. Tatsächlich, da gab es eine Steckdose. Ich hatte Strom für meinen kleinen Kinofilm. Und genau dieses schwäbische Ehepaar packte auch noch einen Korb mit Proviant aus. Kaum zu glauben, sie deckten den Tisch für sich und stellten eine Tasse Kaffee für mich auf. Und Kuchen. »Denn Kaffee ohne Kuchen ist doch nur die halbe Miete«, sagte der Mann schmunzelnd und wünschte mir viel Spaß bei meinem Film.

Die Bestellung war raus und das Universum hat geliefert. Meine Vorstellung war vielleicht etwas anders gewesen, aber die Lieferung war prompt erfolgt. Und genau das ist das Amüsante am *erfolgreich wünschen.* Die Wünsche werden immer erfüllt, man muss nur vertrauen und wachsam sein. Denn die Art wie geliefert wird, ist eben meist überraschend.
Aber wie schafft man es nun, dass man die Lieferung nicht verpasst?

Intuition

Wie werden unsere Wünsche erfüllt? Mit Sicherheit also anders, als wir erwarten. Es ist eben leider nicht immer so, dass wir uns etwas wünschen und schon fliegt es uns von oben auf den Tisch. Da alles eine Frage von Energie ist, werden wir manchmal auch »nur« sehr sanft

geführt. Und zwar dorthin, wo das Gewünschte zu finden ist.
Doch wie werden wir geführt?

Das kann manchmal ein Gespräch sein, das man seltsamerweise aufschnappt und das eine wichtige Information für einen enthält. Es kann auch ein Gedanke sein, dem man nachgeht. Oder man möchte plötzlich einen anderen Weg gehen als gewöhnlich und trifft genau dort »zufällig« einen alten Bekannten, der einem rein »zufällig« von jemandem erzählt, den man kennen lernen sollte. Und »seltsamerweise« hat diese Person genau das, was man sich wünscht. Eine Wohnung, das Handwerkszeug für die verstopfte Leitung oder er kennt jemanden, der das Computerproblem lösen kann. Oder jemand stößt sich das Knie und weist einen auf den versteckten Stromanschluss hin.
Energien lenken, führen, leiten. Man muss nur noch offen dafür sein. Hat man einen Wunsch ausgesandt, gilt es einfach nur hellhörig und wach zu bleiben. Dann wird man alle nötigen Informationen bekommen.
Am sichersten geht das über die Intuition.
Intuition, was ist das?

Intuition ist das Zulassen von sich selbst.

Wenn man Kontakt zu seiner Intuition bekommen möchte, muss man nichts anderes tun als dem nachgehen, was sich gut anfühlt. Ganz egal wie merkwürdig, peinlich oder lächerlich es uns im ersten Moment erscheint. Intuition ist nichts anderes als spontanes Handeln. Wenn einem etwas einfällt, was man tun möchte, dann tut man es. Man sucht nicht nach Gründen dafür oder dagegen. Man wägt nicht ab. Man folgt dem Impuls.

Intuition ist das Gegenteil von Verstand. Wir können also nicht darüber nachdenken. Intuition ist keine logische Folge von intensivem Nachdenken. Intuition geht über das Gefühl, über Empfindungen.
Will man auf die Stimme der Intuition hören, muss man sich nur treiben lassen. Ohne sich auf ein Ziel zu fixieren. Wenn man also nicht hinterfragt und nicht bewertet, wenn man auf die stillen leisen Gedanken achtet und ihnen einfach nachgeht, wenn man im Augenblick verweilt, nicht in der Vergangenheit verharrt oder

auf die Zukunft schielt, wird man in Kontakt mit seiner Intuition kommen.

Die Wirkungsweise der Intuition entfaltet sich nur in der Gegenwart.

Mit Hilfe der Intuition wird das Handeln spontan und das Vertrauen zur eigenen Wahrnehmung wächst. Anstatt den Herausforderungen des Alltags selbst begegnen zu müssen, lassen wir uns zur gewünschten Lösung treiben. Eigentlich ist es nichts anderes, als die feinstoffliche Energie, die wir ausgesandt haben, wieder aufzufangen. Zu uns zurückkehrend führt sie uns nun dahin, wo wir das Gewünschte erhalten. Es ist, schlicht gesagt, unser Ahnungsvermögen, das uns führt.

Natürlich ist man anfangs noch unsicher. Wie bei allem braucht man etwas Übung und Erfahrung. Doch selbst wenn es zu Beginn noch schwer zu erkennen ist, wie sich die Intuition anfühlt, so bildet sich bereits nach nur kurzer Zeit des Einlassens ein gutes Gespür für den starken Verbündeten an unserer Seite heraus. Schon bald wird man zu einer geschlossenen Einheit. Man ist nicht mehr alleine. Nie wieder. Es gibt in uns eine höhere Instanz, die uns zur gewünschten Antwort leitet und führt.

Keine Sorge, *erfolgreich wünschen* funktioniert immer. Auch ohne Intuition. Aber mit ihr geht es wesentlich schneller. Unsere Intuition ist einfach so etwas wie unsere Postanschrift, an die nun die Informationen gesandt werden, wo wir das Gewünschte abholen können.
Ich habe aber auch oft ganz bewusst gegen meine Intuition gehandelt, die Lieferung kam trotzdem. Nur manchmal eben mit Verspätung.
Hier zwei kleine Beispiele wie konkret und direkt die Intuition arbeitet.

Expresslieferungen
Wenn ich etwas besonders schnell geliefert haben möchte, bestelle ich über Fragen. »Wo finde ich das Gewünschte?« oder »Wie komme ich am schnellsten an ...?« Also beauftrage ich die ausgesandte Energie ganz bewusst, sich bei meiner Intuition zu melden.
Und dann entspanne ich mich und höre auf die leisesten Zeichen. Manchmal ist die Antwort ein Satz, den ein Nachbar im Lokal sagt, oder

die Schlagzeile einer Zeitung oder der Liedtext eines Songs im Radio.

Vor vielen Jahren, als ich mit meiner Intuition noch nicht so vertraut war, hatte ich noch etwas Schwierigkeiten die Zeichen zu erkennen. Oft wusste ich auch nicht, ob ich mir da nicht etwas einredete oder meinen Verstand ganz bewusst in eine Richtung drängte.

Ich erinnere mich noch sehr gut an die Zeit, in der ich mich trotz meines beruflichen Erfolges immer einsamer und leerer fühlte. Damals war mein tiefer Wunsch einfach nur zu verstehen, was der Sinn meines Lebens sein sollte.
Ich weiß noch, wie ich in dem Cafe in Schwabing saß und mehrmals laut vor mich hindachte. »Was soll eigentlich der ganze Mist? Wo liegt der Sinn in diesem Tun?« Ich war richtig sauer. »Ich bin bereit für Antworten, aber sie sollten schleunigst kommen.«
Da entdeckte ich auf meinem Tisch eine alte zerknüllte Rechnung, der ich aber keine weitere Bedeutung beimaß. Als ich gezahlt hatte und das Cafe verließ, lief mir der Kellner nach und sagte, ich hätte etwas liegen lassen. Es war die zerknüllte

Rechnung. Sie war von einem Buchladen in der Nähe. Aber noch immer interessierte ich mich nicht wirklich dafür. (Wie gesagt, ich war noch nicht erfahren im Erkennen der Zeichen.) Kurz darauf hielt mich ein Passant an und fragte mich nach einer Straße, die ich aber selber nicht kannte. Keine zwei Schritte später erinnerte ich mich, das war die Straße von dem Buchladen auf der Rechnung. Nun (endlich) neugierig geworden ging ich dort vorbei. Ein merkwürdiger Laden. Mit Klangschalen im Schaufenster und beim Eintreten dampften einem kleine Rauchschwaden von Räucherstäbchen entgegen. Es war einer der ersten esoterischen Buchläden in München. Ich wusste bis dahin gar nicht, dass es so etwas gab. Später sollte es mein Stammbuchladen werden.

Unsicher ging ich an den Buchregalen entlang. Dort standen Autoren, von denen ich zuvor noch nie gehört hatte. Ich hatte keine Ahnung, welches Buch ich kaufen sollte, noch wusste ich, warum ich überhaupt in diesem Laden war. Da drehte sich eine Frau mit kurzgeschorenen Haaren in fast lächerlich bunten Baumwollhosen um und sagte zu mir. »Das Buch müssen Sie lesen, das

ist toll.« Mit einem wissenden Lächeln deutete sie auf ein Buch im Regal.
Mehr aus Höflichkeit denn aus Interesse habe ich es wirklich gekauft. Dieses Buch hat mein Leben umgekrempelt. Es war »Das Handbuch zum höheren Bewusstsein« von Ken Keyes. Es hatte alle Antworten auf meine Fragen. Durch dieses Buch verstand ich plötzlich den Sinn meines Tuns.

Aber war das wirklich so etwas wie *erfolgreich wünschen* gewesen und hatte mich an diesem Nachmittag wirklich eine höhere Ordnung zu diesem Buch geführt?
Wir wissen ja, wie der Verstand arbeitet. Er zweifelt und behauptet unaufhörlich, dass alles nur eine Aneinanderreihung von Zufällen gewesen sei.

Kurz darauf wollte ich es also erneut wissen. Ich war auf der Suche nach einem weiteren Buch, das mindestens ebenso intensiv auf mein Leben einwirken sollte.
Diesmal war ich wesentlich direkter und kühner mit der Formulierung meines Wunsches. Ich wollte das Buch noch am gleichen Tag in meinen

Händen halten und ich erwartete, dass man mir den Titel mitteilte.
Diesmal wollte ich es dem Schicksal außerdem nicht so leicht machen. Ich wollte nicht aus dem Haus gehen. Ich verspürte auch gar nicht den Drang loszustiefeln.
Eine Stunde später rief mich meine Agentin an. Sie wollte wissen, ob ich endlich das Drehbuch für den neuen »Tatort« gelesen hätte. Natürlich nicht, ich hatte es ja noch überhaupt nicht erhalten. Sie war entsetzt. Ich hätte das Drehbuch schon längst lesen müssen. Das wäre die Rolle meines Lebens. Ich solle mich sofort auf den Weg machen und es bei ihr abholen.

Auf dem Nachhauseweg fiel mir plötzlich wieder mein Wunsch ein. In der ganzen Hektik hatte ich ihn vollkommen vergessen. Aber so wie es aussah hatte das Universum mich ebenfalls vergessen. Wo war denn nun mein Buch?
An diesem Nachmittag ging ich noch auf der Leopoldstrasse spazieren. Natürlich war ich wach und aufmerksam: Vielleicht sagt mir ja wieder jemand Bescheid. Oder ich schnappe einen Satz auf, der den Titel des Buches beinhaltet.
Doch nichts dergleichen geschah. Ich setzte

mich auf eine Bank und las mein Drehbuch. Da sah ich einen kleinen Jungen. Er stand weinend vor einem Laden und brachte die Tür nicht auf. Ich half ihm. Es war ein Buchladen, nein kein esoterischer, aber keine drei Schritte neben der Kasse traf mich ein kleiner Schock. Dort starrte mich ein Buch an und es hieß »Drehbuch zur Meisterschaft im Leben«. Ein Buch, das mich über ein ganzes Jahr begleiten sollte. Es war, als hätte Ron Smothermon dieses Buch ausschließlich für mich geschrieben.
Hatte meine Agentin nicht gesagt, ich solle das *Drehbuch* lesen, es wäre die Rolle meines *Lebens*!

Geliefert wird immer. Wenn wir nicht hellhörig genug sind, wird uns das »Paket« so lange nachgetragen, bis wir nicht mehr ausweichen können. Wollen wir aber die Lieferung so schnell wie möglich erhalten, gilt es aufmerksam zu sein.

Regel 7
Die wahren, großen Wünsche herausfinden

Wünsche sind so vielfältig wie die Persönlichkeit des Einzelnen.
Der eine möchte gerne tanzen lernen und hatte nie die Zeit dazu oder zwei linke Füße, der andere sucht wahre Freunde, weil er immer stärker den Mangel in seinem Leben empfindet, und ein dritter sehnt sich nach dem idealen Partner.
Dabei ist kein Wunsch größer oder kleiner, wichtiger oder verwerflicher als ein anderer. Es ist auch egal, ob die Wünsche vernünftig, also für den Verstand logisch erscheinen. Jeder Wunsch zeigt uns einfach nur den Mangel, den wir in gewissen Bereichen unseres Lebens spüren.
Dass wir unsere Wünsche erfüllt bekommen, wissen wir inzwischen. Die wesentliche Frage ist, ob durch die Erfüllung unseres Wunsches auch unser Mangel beseitigt wäre. Oder würde er sich sehr schnell an anderer Stelle wieder

bemerkbar machen? Die eigentliche Frage ist also: Worauf will uns dieser Mangel in unserem Leben aufmerksam machen?
Was wir uns wünschen ist schlichtweg Veränderung. Etwas gefällt uns nicht in unserem Leben und wir wissen nicht, wie wir es auf »normalem« Wege ändern können. Meist wissen wir aber auch nicht, wie es wirklich sein wird, sobald sich der Wunsch erfüllt hat. Wird unser Leben dadurch wirklich besser?

Welche Wünsche passen zu mir

Das ist die wesentliche Frage. Es hat wohl keinen Sinn sich etwas zu wünschen, was überhaupt nicht dem eigenen Naturell entspricht. Trotzdem tun es die meisten von uns. Oft wünschen wir uns nur etwas, weil andere es sich wünschen oder es bereits besitzen. Oft hecheln wir einem Ideal nach, das überhaupt nicht das unsere ist.
Aber nur weil andere etwas »toll« finden, muss es noch lange nicht für uns richtig sein. Und was machen wir, wenn das Ersehnte eintrifft? Wenn sich also Wünsche realisieren, die überhaupt nicht zu uns passen?
Bevor wir uns etwas wünschen, sollten wir uns

wirklich klar darüber sein, was wir tatsächlich für unser Leben benötigen. Fühlen wir uns dann wirklich besser, angenommener, liebenswerter oder glücklicher?
Das Eintreffen von so manchem Wunsch kann uns nämlich auch gehörig unter Druck setzen. Der Traumjob kann uns vielleicht völlig überfordern, der Kinderwunsch viel zu früh in Erfüllung gehen oder der ersehnte Wohnungswechsel uns Freunde verlieren lassen.

Wünsche, die in Erfüllung gehen,
verändern uns immer.

Aber sind wir auch wirklich für die Veränderungen und Konsequenzen bereit? Unsere wundervolle, heiß ersehnte Liebesaffäre bringt uns vielleicht auch in Kontakt mit unserer Angst nicht zu genügen oder das lang Ersehnte wieder zu verlieren. Vielleicht trauen wir uns das große Auto gar nicht zu fahren und bekommen wegen seiner beeindruckenden Größe nie einen Parkplatz. Oder wir kommen mit dem gewünschten Ruhm und der damit verbundenen Aufmerksamkeit nicht klar.
Wünsche, die in Erfüllung gehen, bringen uns

nicht immer auch wirkliches Glück. Bevor wir uns an die großen Wünsche heranwagen, sollten wir daher wissen, was wir von unserem Wunsch wirklich erwarten.

Jeder erfolgreiche Wunsch verändert auch unsere Lebensumstände. Deswegen sollten wir genau prüfen, ob wir zu dieser Veränderung auch wirklich bereit sind. Vielleicht geht unsere Sehnsucht in eine bestimmte Richtung, aber wir sind noch überhaupt nicht fähig, die neue Rolle auch wirklich auszufüllen.

Der Wunsch nach Geld

Viel Geld zu bekommen bedeutet vielleicht, die gewohnte Umgebung aufzugeben, weil man sich nun ein Haus leisten kann. Vielleicht verliert man auch die Arbeit, weil sie einfach nicht mehr nötig ist und man keinen tieferen Sinn mehr darin sieht. Man kann zwar nun den ganzen Tag tun und lassen, was man will, aber hat man dazu auch wirklich Lust? Vielleicht vermisst man seine alte Wohnung, seine Nachbarn, seine Kollegen.

Gegen den Wunsch viel Geld zu bekommen ist nichts einzuwenden, man sollte sich einfach nur im Klaren darüber sein, dass jeder Wunsch

auch Konsequenzen hat. Vielleicht ist es daher wesentlich wichtiger sich Gedanken über die Lebensbedingungen zu machen, die man gerne erschaffen möchte. Denn viel Geld alleine ist noch kein Garant dafür glücklich zu sein. Viele Lottomillionäre waren bereits nach wenigen Jahren wieder bettelarm und unglücklicher als jemals zuvor.
Michaela und ich haben daher einen kleinen Handel mit dem Universum abgeschlossen.

Unser Deal mit dem Kosmos
Nachdem wir innerhalb eines Jahres zwei Autos gewonnen hatten, waren wir von unserem *erfolgreichen wünschen* zutiefst beeindruckt. Aber warum immer Einzelbestellungen aufgeben? Geht das nicht als Dauerabonnement?
Michaela und ich wünschten uns jedenfalls gleich anschließend, dass wir uns nie wieder Sorgen über Geld machen müssten. Geld sollte einfach da sein. Es sollte nicht übermäßig viel sein, damit wir auch weiterhin genügend Freude und Motivation für unsere Arbeit empfinden würden, aber es sollte auch nicht zu wenig sein. Jedenfalls sollte es immer so reichlich in unserem Leben sein, dass wir das verwirklichen könnten,

was unserer Sehnsucht entspricht. Es war wie ein Deal mit dem Kosmos. Wir machen das, was offensichtlich vom Fluss der Zeit gewünscht wird, und das Universum sorgt künftig dafür, dass regelmäßig Geld hereinkommt.

Besitz soll uns dienen und nicht wir dem Besitz.

Seit diesem Tag gab es bei uns nie wieder die Frage nach Geld. Geld kommt einfach in unser Leben. Manchmal auf völlig unerwartete Weise.

Wenn man mit dem Wünschen beginnt, wird einem nämlich Folgendes schnell klar: Reich wird man nicht dadurch, dass man viel arbeitet. Reich wird man dadurch, dass man es sich wünscht und in sein Leben einlädt. Nur wenn man davon überzeugt ist, dass es einem auch zusteht, ist man wirklich offen und bereit für die gewünschte Lieferung.
Aber Geld ist eben nur eine Seite von Wohlstand. Wirklicher Reichtum beinhaltet wesentlich mehr. Um wirklich glücklich zu sein, sollten wir beim Wünschen daher auch an folgende Aspekte denken:

- Gesundheit
- eine wundervolle Partnerschaft
- einen erfüllenden Beruf
- wahrhafte Freunde
- genügend Zeit für sich und andere
- inneren Frieden und Gelassenheit

Diese Liste ließe sich beliebig erweitern. Wichtig ist nur zu wissen, dass wahrer Reichtum mehr beinhaltet als Geld. Doch Geld, der »schnöde Mammon«, ist eine durchaus wünschenswerte Zutat für mehr Freude und innere Freiheit im Leben.

Die erträumte Partnerschaft

Das ist wohl der größte Wunsch von uns Menschen: Jemanden zu finden, der mit uns durch dick und dünn geht, der uns versteht, bei dem wir uns geliebt und angenommen fühlen. Der Wunsch nach dem Partner ist wohl der, der den tiefgreifendsten Einfluss auf unser Leben hat. Gerade beim Partnerwunsch ist es also wichtig, dass wir uns fragen: »Was will ich wirklich?«, das heißt, welche Eigenschaften soll dieser Mensch haben. In Abänderung des bekannten Spruches:

»Drum prüfe, wer sich ewig bindet…«, könnten wir sagen:

**Drum prüfe, was du wirklich wünschst,
denn es wird in Erfüllung gehen.**

Mindestens genauso wichtig ist es allerdings, nach der eigenen Motivation zu fragen: »Warum will ich einen Partner, was soll er mir bringen?« Meistens ist es so, dass das, was ich im Außen zu erhalten wünsche, in Wahrheit in meinem Inneren fehlt.
Lautet mein Wunsch zum Beispiel: »Ich will jemanden, der mich bedingungslos liebt«, so heißt das in Wahrheit: »Ich werde nicht geliebt. Ich bin nicht liebenswert. Ich liebe mich selbst nicht.« Viele suchen also nur deshalb nach einem Partner, der sie bedingungslos liebt, weil sie sich selbst nicht lieben.
Die eigentliche Ausgangsbasis für den Wunsch müsste jedoch lauten: »Ich bin liebenswert, so wie ich bin. Ich akzeptiere all meine Mängel und Fehler und nehme mich genauso an, wie ich jetzt bin. Ich bin einzigartig und schön und komme meiner Liebe zu mir selbst jeden Tag näher. Durch meine Liebe zu mir selbst ziehe

ich den Menschen an, der mich mit den gleichen Augen betrachtet wie ich mich. Ich bin offen und bereit, die Liebe zu mir selbst zuzulassen sowie die Liebe eines anderen Menschen. Ich gebe meinen Hindernissen und Blockaden keine weitere Kraft und die Liebe in mir kann frei fließen. Ich bin offen und bereit, damit die Liebe in meinem Leben in Erscheinung tritt.«

Würde ich mir einfach nur jemanden wünschen, der mich liebt, ohne jedoch mich selbst anzunehmen, würde ich die mir entgegengebrachte Liebe überhaupt nicht annehmen können. Erst durch die innere Bereitschaft kann ich all das zulassen, was ich brauche. Ich muss dann gar nicht mehr suchen, ich werde gefunden. Denn mit der richtigen Bereitschaft findet das, was wir wirklich brauchen uns.

Trotzdem gibt es einige Wünsche, die überhaupt nicht funktionieren.

Wünsche dürfen zum Beispiel andere Personen nicht zwingen, etwas gegen ihren Willen zu tun. Wir können sie also nicht veranlassen, sich in uns zu verlieben. Oder etwas ganz Bestimmtes für uns zu tun.

**Der freie Wille steht über allem,
auch über jedem Wunsch.**

Das ist auch ganz gut so, denn sonst könnte sich doch jeder etwas von uns wünschen und wir müssten plötzlich Handlungen ausführen, die uns gar nicht gefallen.

Wie finde ich aber dann die Person, die mich liebt?

Durch *erfolgreich wünschen* bekomme ich jedenfalls nicht eine bestimmte, von mir ausgesuchte Person, die sich mein Verstand einbildet, dazu sich an mich zu binden. Wenn ich jedoch durch mein Wünschen einen Menschen in mein Leben einlade, der genau meine Schwingung besitzen und natürlich meine Liebe erwidern soll, erhalte ich mit Sicherheit den Partner, der mir ebenbürtig ist und zu mir passt.

Den richtigen Partner bestellen

In meinen Vorträgen über glückliche Partnerschaften bekomme ich immer wieder die gleiche Frage gestellt: »Wie schaffe ich es, den richtigen

Partner kennen zu lernen und in mein Leben zu ziehen?«

Im Grunde ist dies ganz einfach. Im Grunde ist es so einfach, dass es für die meisten von uns wieder so unglaublich schwierig ist. Wir müssen nämlich genau genommen viel weniger unternehmen, als wir denken. Wir müssen einfach nur aufhören so hektisch und panisch zu suchen. Denn gerade das panische und hektische Suchen zeigt nur, dass wir der ganzen Sache nicht wirklich trauen. Tief in unserem Inneren sind wir dann meistens davon überzeugt, dass wir niemanden mehr finden werden. Zumindest nicht den »Richtigen«. Suchen ist das Gegenteil von Finden. Um zu finden müssen wir nur unsere Augen und Herzen öffnen und aufnahmebereit sein.

Erfolgreich wünschen bedeutet bereit zu sein, all die Wunder in unserem Leben zuzulassen.

Das Suchen jedenfalls verhindert das Zulassen. Solange wir suchen, sind wir an ein ganz bestimmtes Objekt oder Ziel gebunden. An eine Projektion, die wir in unserem begrenzten Bewusstsein entwerfen und nach der wir unauf-

hörlich Ausschau halten. In unserer Vorstellung wird es immer jemand sein, der keine Fehler hat. Natürlich, es ist ja eine reine Wunschvorstellung, ohne Makel und Schattenseiten. So etwas gibt es aber nicht. So etwas gibt es nur in unserer Fantasie, die wir jederzeit ein- und ausschalten oder nach unserer Vorstellung abändern können.
Wir suchen aber einen Menschen, der zu uns passt. Also wird er ganz ähnliche Schattenseiten haben wie wir selbst. Genau genommen suchen wir auch nach uns selbst, denn schließlich wollen wir uns in unserem geliebten Partner widerspiegeln. Er soll uns ähnlich sein. Er soll sich mit uns entwickeln und die Welt mit ähnlichen Augen betrachten. Er soll über die wesentlichsten Dinge ähnlich denken wie wir. Über Treue, Familie, Liebe, Gott und die Art der Lebensbewältigung.
Unsere Fantasie hilft uns hier also nicht weiter. Auch nicht das unentwegte Suchen, mit dem wir die wahre Liebe eher verhindern, als sie zu erfahren.

Bevor wir einen so schwerwiegenden Wunsch losschicken, sollten wir uns im Klaren darüber sein, was wir wirklich haben wollen.

Um es noch einmal klarzustellen, die Bestellung ist nicht schwer, aber sie wiegt für unser Leben schwer. Sie ist also sehr bedeutsam für uns. Fehler beim Ausfüllen unseres Wunschformulars haben also ebenfalls weitreichende Folgen.

Und trotzdem, obwohl es solch eine Bedeutung hat, machen wir uns oft gar keine wirkliche Vorstellung davon, wie unser Wunsch nach dem »richtigen« Partner aussehen soll. Obwohl wir denken, wir wüssten Bescheid, haben wir gar keine Ahnung, welcher Partner uns auch wirklich gut tut. Wir wollen auch gar nicht lange darüber nachdenken, wir wollen ihn einfach haben. Oft steht dahinter aber ein ganz anderer Wunsch. Wir wollen nicht mehr alleine sein.

Bevor wir also unsere Bestellung aufgeben, sollten wir uns klar darüber sein, welchen Partner wir wirklich in unserem Leben an unserer Seite haben wollen.
Dabei hilft die Liste, die ich in meinem Buch »Glücksregeln für die Liebe« eingehend beschrieben habe, hier gebe ich nur eine kurze Zusammenfassung. Mit dieser Liste wird uns ziemlich schnell klar, was wir von einer Partnerschaft

erwarten, was wir bereit sind selber einzubringen und welcher Partner dementsprechend am besten zu uns passt. In meinen Vorträgen und bei den Einzelsitzungen arbeiten wir sehr oft mit dieser Liste. Sie ist schnell, effektiv und bringt erstaunliche Klarheit.
Wollen wir also den »richtigen« Partner, muss uns zuerst einmal klar sein, wonach der Kosmos für uns suchen soll. Auf diese Weise ist auch die Liste entstanden. Ich habe sie entwickelt, als ich selbst nach vielen Wirrungen und Irrungen und unzähligen Fehlversuchen endlich die richtige Partnerin für mein künftiges Leben haben wollte. Ich hatte mich damals für eine Weile zurückgezogen, um herauszufinden, welche Partnerin denn nun wirklich zu mir passt.
Um darüber Klarheit zu erhalten, habe ich an verschiedenen Hilfsmitteln und Möglichkeiten gebastelt und bin dabei immer nur der Frage nachgegangen »Wie kann ich am besten erkennen, wer wirklich zu mir passt?«
Da kam ich auf die Idee eine Liste zu erstellen. Kurz beschrieben tat ich Folgendes:
Auf einem großen Blatt Papier machte ich zwei Spalten. In die erste Spalte schrieb ich, was ich mir alles von meiner künftigen Partnerschaft

erhoffte. Diese Spalte war recht rasch ausgefüllt und ziemlich umfangreich. All meine Wünsche und Sehnsüchte kamen dort hinein.
In die zweite Spalte schrieb ich, was ich bereit war, selbst alles einzubringen. Und siehe da, diese Spalte war schon wesentlich kürzer.
Was ich aber in eine Beziehung nicht selbst einbringen kann, werde ich auch dort nicht vorfinden. Also suchte ich doch ganz offensichtlich nach einem Partner, mit dem ich all das Fehlende gemeinsam entwickeln konnte.
Wer Genaueres über diese Arbeit erfahren möchte, der lese bitte im Buch »Glücksregeln für die Liebe« nach. Dort habe ich alles ausführlich beschrieben.

Als mir nun immer klarer wurde, wie mein künftiger Partner sein sollte, schrieb ich alles auf ein eigenes Blatt Papier und legte es auf einen würdevollen Platz.
Auf welch wundersame Weise dieser Wunsch in Erfüllung gegangen ist, erstaunt mich heute noch.

Wie ich den richtigen Partner in mein Leben zog

Ich habe mir meinen Partnerwunsch jedenfalls einige Wochen sehr genau überlegt und anhand meiner Liste erarbeitet. Erst als ich mir wirklich absolut sicher war, welcher Partner am besten zu mir passt, habe ich meine Wunschliste dem Kosmos übergeben.

Denn eines war mir klar: Mein Wunsch wird erfüllt werden.

Aber genau genommen machte ich es dem Universum beim Erfüllen meines Wunsches nicht wirklich leicht, denn zu dieser Zeit hatte ich mich komplett zurückgezogen und blieb für mehrere Monate fast ausschließlich nur in meiner Wohnung. Bis auf zwei Stunden am Abend, in denen ich am Theater am Kurfürstendamm auf der Bühne stand und einem einzigen gemeinsamen Essen im größeren Rahmen, zu dem mich die Kollegen sanft gezwungen hatten, da sie meinten, das ständige Alleinsein in meiner Wohnung täte mir nicht gut, blieb ich in meiner Einsamkeit.

Wie sollte das Universum da meinen Wunsch ausführen?

Ein paar Wochen später läutete das Telefon. Am Apparat war eine Frau, mit der ich einige Wochen vorher bei diesem Abendessen gesprochen hatte. Ich konnte mich aber nicht mehr genau an sie erinnern. Ich wusste nur noch, dass sie blond war, schlank und eine dicke Brille trug. Aber wir verstanden uns auf Anhieb so gut, dass wir vier Stunden telefonierten und am folgenden Tag weitere sieben Stunden. Und da wir uns nicht sehen konnten, sie spielte in Bremen Theater und ich stand in Berlin auf der Bühne, telefonierten wir am darauf folgenden Tag erneut sieben Stunden. Es gab ein so tiefes Verständnis in so vielen Dingen, dass wir in der nächsten Nacht, nach weiteren acht Stunden am Telefon, vereinbarten, gemeinsam in Urlaub zu fahren. Das verbindende Gefühl war so intensiv, dass wir am nächsten Tag sogar telefonisch beschlossen zusammenziehen und Michaela, zu wahrer Hingabe fähig, kündigte sofort ihren Job und ihre Wohnung. Einen Tag später beschlossen wir, ohne uns wirklich gesehen zu haben, zu heiraten.
Aber hatten wir uns wirklich nicht gesehen? Vielleicht nicht körperlich, aber seelisch kannten wir jeden Millimeter voneinander. Wir hatten uns alles erzählt. Es gab keine Geheimnisse. Selbst

Dinge, die wir noch niemals jemand anderem anvertraut hatten, wussten wir voneinander. Wir hatten uns gezeigt. Wir hatten unseren Bauchladen aufgemacht und ohne Vorbehalte unsere Seele offenbart. Wir wussten beide, dass wir zusammengehörten.

Alle meine Freunde hielten mich für komplett verrückt. Sie dachten, ich sei nun völlig umnachtet. Sie versuchten mich umzustimmen. »Du weißt doch gar nicht, wie sie riecht, wie sie schmeckt und ob ihr überhaupt körperlich klar kommt.« Aber ich wusste, wenn ich der Möglichkeit, meine wahre große Liebe zu leben, keine Chance gebe, werde ich mein ganzes Leben dieser Möglichkeit nachtrauern. Immer dann, wenn es woanders nicht so gut laufen sollte, würde ich an diese einzigartige Chance denken. An mein Scheitern und meinen Wankelmut.

Auf der anderen Seite, welches Risiko ging ich denn schon ein? Sollten Michaela und ich uns wirklich körperlich nicht verstehen, dann hatten wir die Chance die besten Freunde zu werden. Denn seelisch waren wir bereits Verbündete. Sie dachte wie ich, sie sah die Welt mit den glei-

chen Augen, sie hatte die gleichen Sehnsüchte und Hoffnungen und war ebenso bereit, an sich zu arbeiten wie ich, damit all die Mängel in der eigenen Persönlichkeit gemeinsam aufgelöst werden konnten.
Und als ich sechs Wochen später, nach vielen weiteren langen Telefonaten, vor ihrer Wohnung mit einem Umzugswagen auftauchte und sie zum ersten Mal so richtig sah, war ich überglücklich. Das Erste, was ich dachte, war: Schwein gehabt. Michaela war die wunderschönste Frau, die ich mir überhaupt vorstellen konnte.
Das Erstaunlichste aber war, dass, als ich später wieder meine Liste hervorholte und mir meine Bestellung ansah, Michaela in jedem Detail exakt dieser Liste entsprach.

Natürlich bekommen wir auch immer noch ein paar Zugaben, Dinge und Eigenschaften, die wir auf unserem Wunschzettel nicht formuliert haben. Wir können schließlich nicht an alles denken. Aber all das, was auf meinem Zettel stand, ging in Erfüllung.

Zufall? Wer das noch immer glaubt, der soll sein Leben ruhig weiterhin dem Zufall überlassen und sich abmühen. Wesentlich einfacher ist es jedoch *erfolgreich zu wünschen* und sein Leben selbst zu bestimmen.

Wie an meinem Beispiel gut zu sehen ist, sollte man aber nicht eine bestimmte Art und Weise erwarten, wie die Lieferung geschehen soll.
Es geht nur darum, bereit zu sein. Unser neuer Partner kann uns über den Haufen rennen, einen Unfall verursachen oder uns verklagen. Wer sagt, dass die erste Begegnung positiv sein muss? Er wird auf jeden Fall all unsere Aufmerksamkeit auf sich ziehen.
Viele glückliche Ehen begannen damit, dass man sich nicht ausstehen konnte, aber seltsamerweise sich auch nicht gleichgültig war. Natürlich kann es genauso gut vollkommen romantisch ablaufen und beide wissen von der ersten Sekunde an, dass dies der Partner fürs Leben ist.
Wichtig ist einfach nur, keine festgefahrene Meinung und Vorstellung darüber zu haben, wie es ablaufen muss. Sonst könnte das Universum gerade liefern und man bekommt die Lieferung wegen innerer Abwesenheit gar nicht mit.

Oft werde ich gefragt, ob Michaela zur gleichen

Zeit ebenso Wünsche für den richtigen Partner in den Äther geschickt hat.
Nein, hat sie nicht. Aber sie war offen und bereit, sich einzulassen.
Natürlich hätte sie auch nein sagen können, aber dann wäre es ja wohl eine seltsame Lieferung meines Wunsches gewesen. »Hier wäre die wundervollste Frau, die genau zu dir passt, aber sie will dich gar nicht.«
Nun, so jedenfalls liefert der Kosmos nicht. Michaela war bereit und offen, und ich habe nach dem idealen Partner gesucht, der natürlich bereit und offen für eine Liebesbeziehung sein sollte.

Im Übrigen darf man wirklich alles schreiben, was einem in den Sinn kommt. Auch Aussehen und Figur und Charaktereigenschaften. Allerdings ist dies noch keine Garantie dafür, dass man mit diesem Partner auch glücklich wird, denn vielleicht überfordert man sich selbst mit seinen Wünschen.
Stellen wir uns beispielsweise vor, der Partner soll athletisch und sportlich sein und natürlich gut aussehen. Dann müssen wir aber davon ausgehen, dass dieser künftige Partner auch gerne

sportliche Aktivitäten mag und diese auch mit uns ausüben möchte. Will man das wirklich?
Oder man wünscht sich einen Partner, der im Bett eine Rakete ist und immer Lust hat. Der Traum aller Männer. Aber wenn es Wirklichkeit wird, kann es schnell zum Albtraum werden. Was ist, wenn man nach einem Monat nicht mehr so oft will wie sie oder mit dem Tempo nicht mehr mitkommt oder irgendwann auch andere Interessen hat? Oder wenn man befürchten muss, verlassen zu werden, wenn man es im Bett nicht mehr bringt. Oder man Angst bekommt, nicht zu genügen.
Sollte man sich einen Partner wünschen, der wunderschön ist, sich selbst aber als weniger ansehnlich empfinden, dann kann es schnell zu Minderwertigkeitsgefühlen kommen.
Nur aus dem derzeitigen Mangel heraus Wünsche zu formulieren, kann also auch ziemlich gefährlich sein. Der Wunsch erfüllt sich. Ob er auch zu unserem Besten ist, ist jedoch nicht gewährleistet.
Man sollte sich deshalb besonders bei Partnerwünschen sehr genau überlegen, welchen Partner man anziehen möchte.

Wird das Leben glücklicher?

Wird man durch *erfolgreiches wünschen* glücklicher?
Ja, auf jeden Fall, aber anders als gedacht.

Glück ist eine innere Haltung und hat nur wenig mit dem real erlebten Äußeren zu tun. Sind wir ohne Geld oder Partner nicht glücklich, sind wir es auch nicht mit ihnen.
Schließlich kennt wohl jeder von uns Menschen, die Geld und Partner oder Berühmtheit erlangt haben und dennoch ewig schlecht gelaunt oder unglücklich sind.

Wollen wir Glück erfahren, werden wir es nicht durch äußere Einflüsse erhalten.

Glück entsteht nämlich immer von innen heraus. Glück erfahren wir, wenn wir Glück aussenden. Dabei spielt es keine Rolle, ob wir eine Villa bewohnen oder eine 30 qm kleine Wohnung. In beiden können wir ebenso glücklich wie auch unglücklich sein

Glück entsteht aus einer inneren Gelassenheit heraus. Glück entsteht immer dann, wenn wir mit anderen teilen wollen.

Glück ist ein Zustand, in dem wir uns befinden, mit oder ohne Partner, mit oder ohne Geld, mit oder ohne Haus und Ansehen. Viele aber glauben, sie könnten nur glücklich sein, wenn sie etwas Bestimmtes besitzen. Und genau dieses Wörtchen »wenn« lässt uns nicht glücklich sein. Und zwar niemals. Wir wollen uns gar nicht damit auseinandersetzen, warum wir gerade da sind, wo wir sind, wir wollen einfach nur raus. Nachdem aber bestimmte Umstände, und zwar unsere unbewussten Wünsche und Glaubenssätze, uns die Situation beschert haben, die wir nicht annehmen wollen, werden wir auch bei veränderten äußeren Einflüssen ganz ähnlich empfinden und handeln.

Wir nehmen uns immer mit.

Auch ins vermeintliche Glück, das natürlich immer woanders liegt als dort, wo wir uns befinden. Und deswegen werden wir auch im erhofften Glück unglücklich sein. Immer wird etwas in unserem Leben fehlen, um wahres Glück zu erleben.

Vor vielen Jahren hatte ich scheinbar alles. Geld, Ansehen, beruflichen Erfolg, Frauen und Gesundheit. Und trotzdem war ich nicht glücklich. Ich fühlte mich leer und getrieben. Noch immer war ich überzeugt, dass es allen anderen besser ginge als mir. Ich war überzeugt, dass ich noch mehr bekommen müsste, um dem Glück näher zu kommen. Ich müsste also noch erfolgreicher werden, noch mehr Besitz anhäufen, noch mehr Frauen ins Bett bekommen, dann würde sich das Gefühl vom tiefen Glück schon einstellen. Und genau dieser Glaube ließ mich nicht glücklich sein. Genau dieser Glaube an meinen Mangel ließ mich den Mangel erst spüren. Ohne es zu wissen, verlagerte ich mein Glücklichsein in die Zukunft. Der Glaube an den Mangel übertönte alle anderen Wünsche. Ich glaubte so sehr an diesen Mangel, der mich scheinbar am Glücklichsein hinderte, dass selbst, als sich die ersten Wünsche realisierten, sie für mich nicht die richtigen waren oder viel zu spät kamen. Aus diesem Grund konnte nichts, aber auch gar nichts, was an Bestellungen geliefert wurde, mit Freude und Dankbarkeit

angenommen werden, denn gleichzeitig war ich überzeugt, dass andere den wesentlich besseren Wunsch erfüllt bekommen hatten.
Ich war auf der Suche nach dem Glück, doch je mehr ich es außen suchte, desto mehr verlor ich es aus den Augen. Mein unbewusster Wunsch lautete damals: »Ich bin nicht glücklich. Mein Glück liegt in der Zukunft. Ich brauche noch mehr, um glücklich zu sein.« Damit bestellte ich ganz konkret: »Niemals in der Gegenwart Glück zu empfinden.« Meine Grundhaltung war Unglücklichsein. Und daran konnte auch die Erfüllung einiger beziehungsweise vieler Wünsche nichts ändern.
Erst als ich aufgab und von der getriebenen Vorstellung losließ, durch andere glücklich zu werden, begann ich tiefe Zufriedenheit und Liebe zu finden.
Letztendlich stand hinter meiner Suche immer nur eins: Ich sehnte mich nach Liebe und Geborgenheit und da ich sie nicht hatte, hoffte ich, sie durch äußere Einflüsse zu erhalten.

Aber wenn wir die Liebe und Geborgenheit nicht in uns spüren, kann kein Mensch dieser Erde sie uns geben.

Das bedeutet, so Leid es mir tut, die Erfüllung aller Wünsche ändert nichts an unserer Einstellung zum Glück. Wenn wir jetzt nicht glücklich sind, werden wir es auch nicht durch Einflüsse von außen werden. Selbst wenn wir das manchmal glauben. Das Glück, das wir dann erfahren, ist nur von kurzer Dauer, weil es nicht unserer gelebten Tiefe entspricht.

Hat *erfolgreich wünschen* mich glücklicher gemacht?
Ja, unbedingt! Weniger weil sich alle Wünsche in meinem Leben nun erfüllen, sondern weil ich bewusster mit meinem Leben umgehe und mich meiner Führung anvertraue.
Bereits die Tatsache, dass ich immer wieder erfahren darf, dass sich meine Wünsche realisieren, wenn ich es möchte, lässt mich wissen, dass ich mich hier auf Erden nicht alleine abstrampeln muss. Selbst in den stillsten und einsamsten Momenten bin ich erfüllt und glücklich. Ob völlig zurückgezogen oder beim Bad in der Menge, ich bin verbunden. Und voller Dankbarkeit.

Mit dem Universum zu arbeiten
ist wesentlich einfacher,
als sich alleine abzustrampeln.

Erfolgreich wünschen veränderte meine ganze Welt. Mein Erleben, meine Betrachtungsweise, meine Wahrnehmung, meine Partnerschaft und meine Liebe zu mir selbst.
Jeden Tag komme ich mir selbst näher. *Erfolgreich wünschen* hat mir dabei geholfen. Mit jedem weiteren Wunsch, der mir erfüllt wurde, erkannte ich, welche Dinge in meinem Leben wirklich bedeutsam waren. Wenn wir alles erreichen können, wenn wir alles haben können, beginnen wir die wirklichen Wünsche genauer zu untersuchen.
Letztendlich ist es immer nur die Liebe, die wir suchen. Letztendlich ist es immer nur die Liebe, die uns glücklich macht. Die Liebe zu uns selbst. Und zu anderen.

Über den Autor

Pierre Franckh stand bereits als Kind auf der Bühne und gab sein Filmdebüt in Helmut Käutners »Lausbubengeschichten«. Seit 1958 spielte er in vielen Kinofilmen und über 200 Fernsehproduktionen mit und hat im Jahre 2000 mit dem Kinofilm »Und das ist erst der Anfang« (Senator Film) als Autor und Regisseur sein erfolgreiches Debüt gegeben.

Seit 1996 widmet er sich verstärkt seiner Autorentätigkeit.

Kontaktadresse und weitere Informationen auf der Homepage: www.pierrefranckh.de

---

Pierre Franckh

Erfolgreich wünschen

Karten-Set

ISBN 3-03819-023-3

Euro 9,90 / CHF 18,30

49 Affirmationskarten

mit 11 Anleitungskarten

erschienen im Urania Verlag

Pierre Franckh
CD Erfolgreich wünschen
Vier geführte Meditationen
vom Autor persönlich gesprochen
Musik: Sayama
CD 60 min
€ 12,95
ISBN 978-3-936862-67-6

Pierre Franckh
Wünsch es dir einfach – aber richtig

Gebunden, 240 Seiten
€ 9,95
ISBN 978-3-86728-31-0

In seinem neuen Buch beschreibt Pierre Franckh, wie auch die ganz großen Wünsche funktionieren, welche Fehler passieren können und wie man sie vermeiden kann. Dazu stellt er auch Berichte von Menschen vor, die bereits Unmögliches erfolgreich gewünscht haben, beantwortet häufig gestellte Fragen, gibt ganz praktische Tipps und berichtet von den besten Wunschformulierungen. Darüber hinaus öffnet Franckh sein ganz privates Schatzkästchen und zeigt uns seine exakten Wunschformulierungen, mit denen er sich seine Partnerin, sein Haus sowie Geld und Erfolg im Beruf gewünscht hat.

Pierre Franckh
Wünsch es dir einfach –
aber mit Leichtigkeit

Gebunden, 208 Seiten
€ 9,95
ISBN 978-3-86728-037-2

Pierre Franckh ermutigt uns auf liebevolle Weise, überholte Denkmuster aufzulösen, damit sich unsere sehnlichsten Wünsche erfüllen können. Sein neues Buch »Wünsch es dir einfach – aber mit Leichtigkeit« widmet sich diesmal den Schwerpunkten: Geld, Gesundheit und Job. Natürlich dürfen auch die berührenden und heiteren Erfolgsgeschichten von begeisterten »Wünschern« nicht fehlen. Anhand dieser authentischen Geschichten gibt Pierre Franckh wertvolle Tipps und Hilfestellungen für die beste Wunschformulierung.
Achtung! Die »Wünsch es dir einfach« – Bücher könnten Ihr Leben verändern!